유월

하나님 말씀을 입과 마음에 두고 즐거이 묵상하며 지켜
하늘의 아름다운 보고를 여는 삶 되길 소망합니다.

생명의삶

생명의 삶

June 2020

6

신명기
27~34장

시편
127~135편

하나님 나라 _ Blessing

"긍휼히 여기는 자는 복이 있나니 그들이
긍휼히 여김을 받을 것임이요"(마 5:7).

PLUS

최고의 복은
하나님 뜻에 순종해
그분 안에 거하는
삶의 소산이다.

– 아더 핑크

이해되지 않는
상황에서조차
주님을 찬양하는 것,
이것이 바로
비범한 믿음이다.

– 카터 콜론

Calendar

June 2020

6

5

					1	2
3	4	5	6	7	8	9
10	11	12	13	14	15	16
17	18	19	20	21	22	23
24	25	26	27	28	29	30
31						

7

		1	2	3	4	
5	6	7	8	9	10	11
12	13	14	15	16	17	18
19	20	21	22	23	24	25
26	27	28	29	30	31	

SUN	MON	TUE
	1	2
7	8	9
14	15	16
21 하지 Father's Day	22	23
28	29	30

주요 일정

WED	THU	FRI	SAT
3	4	5	6 현충일
10	11	12	13
17	18	19	20
24	25 6.25 전쟁일	26	27

7~9월 QT 본문

7월 시편 136~150편
로마서 1~4장

8월 로마서 5~16장

9월 예레미야 26~39장

※ 2020 맥체인성경읽기표는 홈페이지 http://www.duranno.com/qt에서 다운받으실 수 있습니다.

06

예수님만 바라보는
믿음의 경주자

"믿음의 주요 또 온전하게 하시는 이인 예수를 바라보자…"(히 12:2).

The Blessings of Walking with Jesus

희망의 믿음 vs 약속의 믿음

믿음에는 두 종류가 있습니다. 하나는 '희망의 믿음'이고, 또 하나는 '약속의 믿음'입니다. '희망의 믿음'은 자기가 원하고 바라고 꿈꾸고 소망하는 것을 믿음으로 여기는 것입니다. 내가 믿고 싶은 대로 믿는 것은 진정한 믿음이 아닙니다. 단순한 희망에 지나지 않습니다. 그러나 '약속의 믿음'은 다릅니다. 하나님이 말씀하신 약속을 믿는 것이기 때문입니다. 하나님 말씀은 때로 비상식적이고 허황되게 느껴질 수도 있습니다. 그러나 그분이 하신 약속이요 예언이기에 반드시 이루어집니다.

믿음은 어떻게 생겨날까요? 믿음의 주인은 하나님이십니다. 믿음은 하나님으로부터 시작됩니다. 하나님이 우리에게 믿음을 주시면, 그 믿음이 또 믿음을 낳습니다. 내가 믿음을 만들거나 내 행위와 노력으로 믿음을 더 키우는 것이 아닙니다. 이것이 믿음의 원리입니다.

또한 믿음은 떠나는 것입니다. 하나님은 아브라함에게 "너는 너의 고향과 친척과 아버지의 집을 떠나 내가 네게 보여 줄 땅으로 가라 내가 너로 큰 민족을 이루고 네게 복을 주어 네 이름을 창대하게 하리니 너는 복이 될지라"(창 12:1~2)라고 말씀하셨습니다. 하나님 말씀을 듣고 떠나는 것이 믿음의 시작입니다. 고향과 친척과 아버지의 집, 곧 가장 친하고 익숙한 것을 떠나야 합니다. 그래야 하나님이 보이기 시작합니다.

말씀 없이 믿음을 갖는 것은 허공을 치는 것과 같습니다. 그런데 하나님 말씀이 없을 때는 어떻게 해야 합니까? 기다려야 합니다. 하나님이 주시기로 작정한 이는 이삭이지 이스마엘이 아닙니다(창 16장). 그런 의미에서 믿음은 기다림입니다.

믿음은 하루아침에 완성되지 않습니다. 아브라함의 경우 처음 믿음이 생기는 데 25년 걸렸고, '하나님의 벗'(사 41:8; 약 2:23)이라 칭함을 받기까지 일생이 걸렸습니다. 일생이 걸린다고 해도 방향만 맞으면 믿음은 흔들림 없이 성장해 갑니다. 믿음은 모험이며 도전입니다. 낯선 곳으로 떠나는 것은 얼마나 가슴 설레는 일입니까?

과학자는 망원경과 현미경이라는 두 가지 도구를 사용합니다. 믿음의 사람도 망원경과 현미경을 사용한 듯한 안목으로 안 보이는 것을 보고, 못 보는 것을 봅니다. 안 들리는 것을 듣고, 미래의 것을 느낍니다. 그래서

믿음은 하루아침에 완성되지 않습니다.
아브라함은 부름을 받은 후부터
'하나님의 벗'이라 칭함을 받기까지
일생이 걸렸습니다.

믿음의 뿌리는 예수 그리스도십니다.
믿음의 방향과 완성도 예수 그리스도십니다.

눈물을 흘립니다. 믿음을 가진 사람은 세상 사람들이 느낄 수 없는 냄새
까지도 맡습니다. 냄새는 곁에 있어야만 맡을 수 있지 않습니까? 보지 않
고도 믿는다는 것은 이런 것입니다. 머리로만 이해하는 것이 아니라 모든
감각으로, 삶으로 이해하는 것입니다.

믿음의 시작과 끝, 예수 그리스도
믿음은 절망의 한복판에 존재하면서도 언제나 불가능에 맞섭니다. 사람
들이 절대로 할 수 없다 말하고, 우리 스스로도 불가능하다고 생각하는
일이 있습니다. 그러나 모든 사람이 포기하고 완전히 불가능하다고 할 때
하나님이 일하시며 우리를 가능의 끝으로 끌고 가십니다. 우리 자신이 불
가능한 가운데서 태어난 고귀한 존재요 가치 있는 존재입니다. 하나님의

약속으로 받은 믿음이 있는 한 우리에게 불가능은 없습니다.

믿음 생활 가운데 시험이 있는 것은 당연한 일입니다. 망치로 쇠붙이를 두드리듯 우리 교만을 두드리고, 욕심을 두드려야 합니다. 우리 안에 있는 모든 불순물을 빼내야 합니다. 그러니 시험을 받을 때 시험에 들지 마십시오. 연단은 하나님의 정공법입니다. 이것이 없으면 우리 믿음은 쓸모없는 것이 되고 맙니다. 진짜 믿음은 죽을 때, 손해 볼 때 알 수 있습니다. 위기에 처했을 때 그 믿음이 진짜인지 가짜인지 판명 납니다.

믿음의 본질은 무엇입니까? 예수 그리스도를 통해 우리를 구원에 이르게 하는 수단이라는 사실입니다. 믿음의 길을 걸을 때는 오직 한 가지만 생각해야 합니다. 곧 '믿음의 주요 또 온전하게 하시는 이'(히 12:2)인 예수님을 바라보는 것입니다. 힐끗 보고 마는 것이 아니라 주의 깊게 응시하는 것입니다. 몸과 마음과 생각 등 모든 것을 주님께 집중하는 것이야말로 믿음의 경주입니다.

이렇듯 그리스도인의 참된 믿음은 우리를 구원하신 예수 그리스도 안에서 발견되며 완성됩니다. 우리 믿음의 목표와 방향이 예수 그리스도요, 믿음의 초점 또한 예수 그리스도며, 믿음의 완성도 예수 그리스도십니다. 이는 믿음의 뿌리도 예수 그리스도요, 믿음의 줄기도 예수 그리스도요, 믿음의 열매도 예수 그리스도라는 말입니다. 살아 있는 나무 자체가 하나님이 주신 믿음이라면, 그 나무에 물과 비료를 주는 것은 믿음의 행위입니다. 때에 따라 믿음의 나무를 잘 관리하면 믿음의 열매가 풍성하게 열릴 것입니다.

누구든 예수 그리스도 안에서 믿음의 참된 가치를 발견하면, 기꺼이 십자가를 짊어지고 광야 같은 길도 걸어가게 됩니다. 믿음을 지키기 위해 순교까지도 합니다. 잊지 마십시오. 죽음 뒤에 영원이 있고, 믿음 너머에 약속의 땅이 있습니다. ⓣ

글·하용조 사진·두란노 사진 팀, shutterstock

하용조 목사 | 온누리교회와 두란노서원, CGNTV를 설립했다. 복음을 위해 목숨 걸었던 사랑의 메신저요 비전의 사람이다. 「큐티하면 행복해집니다」, 「사도행전적 교회를 꿈꾼다」 등 60여 권의 저서를 남겼다.

양분된 세상에 서지 않고
더 큰 진리에 서다

선에 갇힌
인간
선 밖의 예수

진보인가
나홀로 신앙인가
돈인가
인종 차별인가
남자인가

보수인가
공동체 신앙인가
거룩한 낭비인가
존중인가
여자인가

★★★
팀 켈러 강력 추천

'우리 vs. 그들'
**이분법적 사고에
지친 이들을 위한
바로 그 책!**

스캇 솔즈 지음 · 332쪽

전자책 출간!

"예수님이 우리의 편이신가를
묻지 말라.
우리가 그분의
편인가를 자문해 보라."

양분된 세상에 서지 않고
더 큰 진리에 서다

그런
당신이
좋다

오해를
이해로 바꾸는
부부의
마음 코칭

부부가 달라도 너무 다르다고요?
우린 서로 달라도 잘 살아요!

서로 다른 음표가
하나의 하모니를 이뤄내듯
서로의 차이를 이해할 때 **결혼 생활도**
아름답게 연주될 수 있다

당신의 신앙을
보고 읽고 즐기는 것에 연결하라

복음과
문화
사이

대니얼 스트레인지 지음
Daniel Strange

세상 '속'에서 살되
세상에 '속하지' 않는 법
전격 공개!

복음과 문화 사이 잇기,
복음 전파의 첫 걸음이다!

duranno.us

40th
두란노

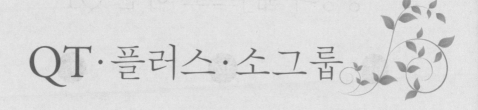

QT·플러스·소그룹

본문 해설	김경열 (신명기 27~29장) 총신대학교 구약학 외래 교수
	신승진 (신명기 30~34장) 복음일터선교회교회 목사
	신대현 (시편 127~135편) 강남새순교회 담임 목사
한절 묵상	김충만 (신명기 32~34장, 시편 127~135편) 양무리교회 담임 목사
주간 그림 묵상 일러스트	이한나
QT 배움방	한미정
나눔식 소그룹	「생명의 삶」 소그룹 집필 팀

나눔식 소그룹은 금요일을 기준으로 그 주간의 월요일~목요일 중 하루의 본문으로 집필했습니다. 나눔식 소그룹을 활용하실 경우, 먼저 개인적으로 QT를 하게 하시고 진행하시기 바랍니다.

이단 기관이나 단체에서 두란노 또는 두란노 QT지를 사칭해 **성경 공부와 세미나**를 진행하거나 **설문지**를 나누어 주며 개인 정보를 수집하고 있습니다. 이들은 **두란노 직원을 사칭**해 명함을 건네주며 **북테스터**를 찾기도 하고, 서점에서 판매되는 두란노 서적에 **이단 홍보 전단지**를 끼워 넣기도 합니다. 또한 「생명의 삶」에서 어플과 페이스북으로 제공하는 **'오늘의 기도'** 이미지를 무단으로 도용해 자신들의 교리와 잘못된 성경 해설을 배포하는 데 사용하고 있습니다. 이는 **두란노와 전혀 상관이 없음**을 알려 드리니 **각별히 주의**하시기 바랍니다.

「생명의 삶」으로 하는 QT

01

찬양과 기도

〈오늘의 찬송〉을 드리며 하나님께 마음을 활짝 열고, 기도하며 내 안에 있는 인간적인 염려를 다 내려놓습니다. 하나님의 음성을 듣기 위해서는 순종할 수 있는 마음을 준비해야 합니다. 간절함과 사모함으로 나아가십시오.

02

본문 읽기

본문 말씀을 2~3회 읽은 뒤 〈오늘의 말씀 요약〉을 참고하십시오. 문맥을 고려해 본문을 읽으면서 특별히 마음에 와닿는 말씀 또는 의문이 생기는 말씀에 밑줄 긋고, 그 말씀을 오늘 하나님이 주시는 말씀으로 받으십시오.

03

묵상하기

이제 그 말씀을 가지고 하나님과 대화하기 시작합니다. 하나님이 왜 내게 그 말씀을 주셨는지, 내가 무엇을 깨닫기 원하시는지 질문하며 하나님의 음성에 귀 기울입니다. 하나님과의 대화 내용을 여백에 기록하십시오.

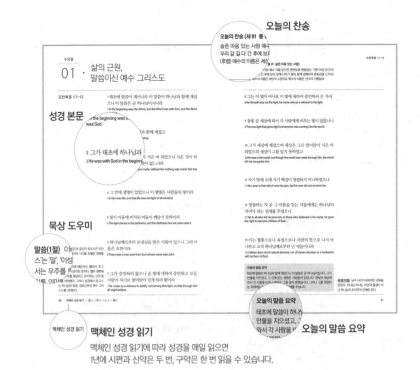

오늘의 찬송

성경 본문

묵상 도우미

맥체인 성경 읽기

맥체인 성경 읽기에 따라 성경을 매일 읽으면
1년에 시편과 신약은 두 번, 구약은 한 번 읽을 수 있습니다.

오늘의 말씀 요약

QT는 Quiet Time의 약자로 매일 조용한 시간과 장소를 정해
하나님을 개인적으로 만나고, 성경 말씀을 통해 나를 향한 하나님의 음성을 듣고
묵상하며 적용함으로써, 삶의 변화와 성숙을 이루는 경건 훈련입니다.

04

적용하기

묵상을 통해 주신 말씀에 순종하십시
오. 그 말씀은 나의 잘못에 대한 지적
이나 내게 주시는 격려, 앞으로 나아
갈 길에 대한 인도 등 다양할 수 있습
니다. 그 말씀을 오늘 내가 할 수 있는
일에 구체적으로 적용하십시오.

05

기도

오늘 내게 주신 말씀에 순종할 수 있도
록 지혜와 용기를 구하며 하나님께 하
루를 맡겨 드리는 기도를 드립니다. 〈오
늘의 기도〉를 활용하셔도 좋습니다.
● QT하며 기록하십시오. 묵상의 깊이
를 더하며, 좋은 영적 자료가 됩니다.

06

나눔

QT 나눔은 QT를 통해 들은 하나님의
말씀과 변화된 나의 삶을 다른 사람들
에게 말하는 것입니다. 구역 모임, 나눔
방 등에서 서로의 QT를 나누면 묵상
과 적용이 실제 삶과 연결되며, 교회 소
그룹이 살아납니다.

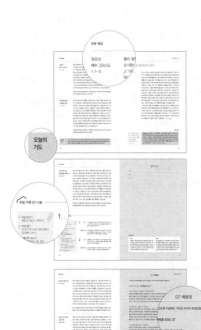

본문 해설

평신도의 눈높이에 맞춘 복음적이고 영성 있는 해설을 싣습니
다. 해설 단락마다 본문에서 끌어낸 다양한 질문을 제시합니
다. 질문은 구체적인 묵상과 적용을 돕고 말씀과 삶을 연결시
켜 줍니다.

주일 가족 QT 나눔

주일에는 '가족 QT 나눔'을 통해 가족이 함께 QT를 나누고
서로를 위해 기도할 수 있도록 돕는 코너를 만들었습니다. 지
면 왼쪽에 제시된 순서를 따라 가정예배를 가족 QT 나눔으로
대신할 수 있습니다.

QT 배움방

매월 마지막 주 토요일에는 QT의 실례를 보여 줍니다. QT를
처음 하시는 분들은 다른 사람의 QT 과정을 엿보며 QT를 실
제적으로 배울 수 있습니다. SPACE 묵상법, 마르틴 루터식 묵
상법, 기도-QT 등 다양한 QT 방법을 샘플로 보여 드립니다.

신명기 ④ (27~34장)

약속의 땅에서 말씀을 청종함으로 복을 누리라

신명기에 기록된 모세의 세 번째 설교는 이스라엘의 미래에 관한 것이다. 출애굽의 은혜를 경험한 이들은 구속주 하나님께 순종함이 마땅하다. 그러나 약속의 땅에 들어간 후 광야 때처럼 또다시 불순종한다면 징계받게 될 것이다. 그럼에도 언약에 신실하신 하나님은 그들을 회복시키실 것이다. 하나님 말씀을 따르는 것이 가장 복된 길이다.

세 번째 설교: 언약 갱신과 헌신 (27:1~34:12)

언약 갱신(27:1~29:1) 출애굽 후 호렙산(시내산)에서 이스라엘과 언약을 맺으신 하나님은 모압에서 가나안 입성을 앞둔 출애굽 2세대와 언약을 갱신하신다. 모세는 그들에게 가나안 땅의 세겜에서 행할 언약식을 준비하게 한다.

에발산에 쌓을 제단과 돌에 기록할 율법(27:1~10) 모세는 율법 선포를 모두 마친(4~26장) 후, 이스라엘이 요단강을 건너 가나안에 들어가면 가장 먼저 해야 할 일을 알려 준다. 그들은 에발산에 큰 돌들을 세우고 그 위에 율법을 분명하고 정확하게 기록해 누구나 보고 알 수 있게 해야 한다. 그리고 제단을 쌓아 하나님께 번제와 화목제를 드려야 한다.

언약 백성에게 주는 경고(27:11~26) 모세는 이스라엘 열두 지파를 둘로 나눠 여섯 지파는 축복 선언을 위해 그리심산에, 나머지 여섯 지파는 저주 선언을 위해 에발산에 서게 한다. 그리고 그 사이에서 레위 사람이 저주를 선언하게 한다. 본문에서는 축복 선언이 생략되었다. 이스라엘이 가나안 땅의 죄악 된 이방 문화에 물들어 하나님 말씀에 불순종할 우려가 크기에 모세는 12개 저주 목록을 명확히 기록한다. 하나님 백성

저주받을 사람들의 목록

1	우상을 만드는 사람	7	짐승과 교합하는 사람
2	부모를 경홀히 여기는 사람	8	아버지나 어머니의 딸과 동침하는 사람
3	이웃의 경계표를 옮기는 사람	9	장모와 동침하는 사람
4	맹인을 길 잃게 하는 사람	10	이웃을 암살하는 사람
5	객이나 고아나 과부의 송사를 억울하게 하는 사람	11	뇌물을 받고 무죄한 이를 죽이는 사람
6	아버지의 아내와 동침하는 사람	12	이 율법의 말씀을 실행하지 않는 사람

은 저주의 말씀도 '아멘'으로 받아들이고 마음에 새겨야 한다.

순종에 따르는 복(28:1~14) 하나님은 말씀을 듣고 순종하는 이에게 복을 베푸신다. 이스라엘이 하나님 백성으로서 거룩하게 살 때 하나님은 그들을 세상 모든 민족보다 높이실 것이다. 세상은 그들을 두려워하여 물러갈 것이며, 이스라엘은 모든 일에 복을 받아 풍요를 누릴 것이다.

불순종에 따르는 저주(28:15~29:1) 이스라엘이 하나님을 잊고 말씀에 순종하지 않으면 모든 복은 저주로 바뀔 것이다. 손으로 하는 모든 일에 결실이 없을 것이다. 적군에게 패해 포로가 되고 여러 나라에 흩어져 헛된 우상을 섬기게 될 것이다. 수많은 질병으로 고통당하고, 기근과 전쟁과 병마로 자손이 번성하지 못할 것이다. 이를 목도한 다른 나라로부터 수치와 모욕을 받고, 절망과 비탄에 빠질 것이다.

새로운 세대와 맺으신 언약(29:2~32:52) 출애굽 2세대는 대다수가 40년 전 호렙산 언약 체결에 직접 참여하지 못했다. 가나안 입성을 앞두고 하나님이 새로운 세대와 언약을 세우심은 호렙산 언약을 재확인하고 그들이 순종을 다짐하게 하기 위함이다.

하나님의 언약에 참여함(29:2~29) 하나님이 율법을 계시하심은 그분의 백성이 모든 말씀을 지켜 행함으로 복을 받고 생명을 얻게 하기 위함이다. 하나님은 애굽으로부터 이스라엘을 구원하셨고, 광야에서 그들을 돌보셨으며, 아모리 족속의 두 왕을 물리치고 요단 동쪽 땅을 얻게 하셨다. 그러나 이스라엘 백성은 하나님이 누구신지 깨닫지 못하고 불순종했다. 하나님은 모압에서 다시 언약을 맺으신다. 그 대상은 지금 하나님 앞에 있는 이스라엘 백성(출애굽 2세대)과 이스라엘 중에 거하는 이방인 객과 종뿐 아니라 그들의 후손까지다. 이는 처음부터 하나님의 구원 계획에 이스라엘 민족만이 아니라 모든 민족이 포함되어 있었음을 보여 준다. 그러나 누구라도 하나님을 떠나 우상을 섬기거나 저주의 말씀을 무시하고 거짓 평안을 말하면 율법책에 기록된 모든 저주가 임할 것이다.

백성 앞에 놓인 두 갈래 길(30:1~20) 모세는 하늘과 땅을 증인 삼아 언약을 체결한다. 이제 이스라엘 앞에는 생명과 복, 죽음과 저주가 놓여 있다. 그들이 하나님을 향해 사랑으로 순종하면 생명을 얻고 복을 받는

다. 그러나 불순종하면 죽음과 저주가 임한다. 하나님 말씀은 어렵거나 멀리 있지 않다. 만일 이스라엘 백성이 불순종해 징계를 받을 때라도 말씀을 기억하고 마음을 돌이켜 하나님께 순종하면, 하나님은 그들을 긍휼히 여기셔서 회복시키시며 다시 복을 내리실 것이다. 그들 마음에 할례를 베푸셔서 전심으로 하나님을 사랑하며 말씀을 지키게 하심으로 생명을 얻게 하실 것이다.

모세의 마지막 당부(31:1~29) 120세 노인이 된 모세는 여호수아를 후계자로 세우고 그와 백성을 격려한다. 하나님이 앞서가시며, 요단 동쪽의 두 왕을 치게 하셨듯 요단 건너편에서도 그들과 함께하실 것이다. 그러니 두려워하지 말고 담대히 전진하면 된다. 모세는 율법을 기록해 제사장들과 장로들에게 주고, 7년마다 곧 면제년 초막절에 하나님이 택하신 장소에서 백성에게 들려주라고 명한다. 백성은 이를 통해 하나님 경외하는 법을 배울 것이다. 모세는 하나님 명령대로 증거의 노래를 기록한다. 그리고 자녀들에게 이를 가르쳐 행하게 하라고 백성에게 지시한다.

모세의 노래(31:30~32:52) 가데스 므리바 사건(민 20:2~13)으로 가나안 땅에 들어가지 못하게 된 모세는 증거의 노래(32:1~43)를 들려준다. 약속의 땅에서 이 모든 말씀을 지키도록 백성에게 당부한다. 신실하신 하나님은 의롭고 정직하시기에 야곱(이스라엘)을 자기 백성으로 선택하셔서 기업을 약속하시고 그들을 돌보시며 인도하셨다. 그러나 풍족해진 이스라엘은 그 모든 풍요가 하나님의 은혜와 돌보심에서 기인함을 분별하지 못하고 자신들의 힘으로 이루었다 여길 것이다. 어리석고 지혜 없는 백성은 하나님을 버리고 이방 신을 섬길 것이다. 생사화복을 주관하시며 심판과 구원의 권한을 지니신 하나님 외에 다른 신이 없다. 하나님은 우상을 좇는 백성에게 진노하셔서 재앙을 내리실 것이다.

이스라엘 열두 지파

아셀 납달리
므낫세 반
스불론
지중해 잇사갈 갈릴리 호수
므낫세 반 갓
요단강
에브라임
단 베냐민
유다 르우벤
사해
시므온

축복(33:1~34:12) 모세는 하나님의 언약에 근거해 이스라엘 백성을 축복하며 소망을 심어 준다.

모세의 축복(33:1~29) 하나님의 사람 모세가 죽기 전에 이스라엘 각 지파 자손을 축복한다. 축복 내용은 창세기 49장에 기록된 야곱의 예언과 짝을 이룬다. 하나님은 이스라엘을 택하시고 사랑하셔서 모세를 통해 율법을 주셨다. 그리고 언약대로 그들을 안전하게 보호하시며 풍족하게 하신다. 생명 길로 인도하는 말씀을 받고 하나님을 섬기며 구원받는 이스라엘은 행복한 백성이다.

모세의 죽음(34:1~12) 모세는 모압 평지 느보산 꼭대기에 올라 그곳에서 하나님이 보여 주시는 약속의 땅을 바라본다. 그리고 하나님의 명령대로 모압 땅에서 죽어 묻힌다. 하나님은 모세와 대면하여 말씀하셨고 그를 통해 놀라운 능력을 행하셨다. 이후로 이스라엘에는 모세와 같은 선지자가 일어나지 않았다. 모세는 오실 메시아를 예표하는 인물로, '너와 같은 선지자'(18:18)를 보내시겠다는 하나님의 약속은 예수 그리스도가 오심으로 성취된다.

모세의 축복 vs 야곱의 예언

	모세의 축복(신 33:6~25)	야곱의 예언(창 49:3~27)
르우벤	생명과 번성	범죄로 장자의 위엄과 힘을 잃음
유다	하나님의 들으심과 도우심으로 대적을 침	형제의 찬송, 사자 새끼, 실로가 오실 때까지 백성을 다스리는 통치자
시므온	생략됨	폭력의 도구, 살인으로 저주받아 이스라엘 중에서 나뉘며 흩어짐
레위	율법을 가르치고 제사를 드림	
베냐민	하나님의 사랑 안에서 보호와 안식을 누림	빼앗은 것을 먹고 움킨 것을 나누는 물어뜯는 이리
요셉	풍성한 산물과 복, 위엄과 승리와 번성	무성한 가지, 굳센 활과 힘센 팔, 전능자 하나님의 도우심과 복
스불론	해상 무역을 주도함	해변에 거주, 경계가 시돈까지 이름
잇사갈	장막 안에 거함	양 우리 사이의 건장한 나귀, 압제 아래에서 섬김
갓	암사자처럼 사로잡은 것의 팔과 머리를 찢음, 하나님의 의와 법도를 행함	적의 추격을 받으나 도리어 그들을 공격함
단	바산에서 뛰어나오는 사자의 새끼	백성을 심판함, 길섶의 뱀, 샛길의 독사
납달리	풍성한 은혜와 복, 서쪽과 남쪽을 차지함	아름다운 소리를 내는 놓인 암사슴
아셀	복을 많이 받음, 형제의 기쁨, 안전과 능력	먹을 것이 풍성해 왕의 수라상을 차림

시편 ⑪ (127~135편)

하나님 임재를 사모하는 순례자들의 찬양

하나님만이 유일한 구원자요 진정한 보호자요 복의 근원이시다. 그분은 원수의 손에서 자기 백성을 건지시고 영원한 생명 길로 인도하신다. 하나님 없이 자기 손으로 수고하며 우상을 의지하는 인생은 헛될 뿐이다. 하나님 백성의 삶을 지탱하는 것은 예배다. 하나님의 임재를 사모하며 중단 없이 그분을 찬양하는 것이 우리의 본분이다.

예배 회복의 기쁨　시편은 총 다섯 권으로 구성되는데, 그중 제5권에 해당하는 부분이 107~150편이다. 제5권에는 이스라엘 백성이 처한 현재 상황과 포로 후기 미래를 향한 소망이 담겨 있다. 특히 시편 120~134편은 '성전에 올라가는 노래'라고 알려져 있다. 히브리어 원문에 따르면 이 표제는 '바벨론으로부터 돌아오는 (포로의) 노래'라는 의미로도 볼 수 있다. 이스라엘 성인 남자들은 유월절(무교절), 칠칠절, 초막절 등 절기를 지키기 위해 1년에 최소 세 차례는 하나님의 성전에 올라가야 했다(신 16:16). 성전에 오르는 사람들은 기쁨으로 하나님을 찬양했다. 하나님이 임재하시는 성전에서 예배함은 하나님 백성의 큰 특권이다. 하나님의 은혜로 포로지 바벨론으로부터 돌아와 다시 예루살렘에서 예배하게 된 것은 이스라엘이 크게 기뻐하고 찬양할 이유였다.

성전에 올라가는 노래
(120:1~134:3)　**하나님을 의지하는 삶(127:1~5)**　하나님의 도우심과 지키심이 없다면 사람의 모든 노력은 헛될 뿐이다. 하나님은 사랑하시는 자에게 잠을 주신다. 가정의 자녀는 하나님의 선물이요 기업이다. 성도는 모든 일을 주관하시며 복을 주시는 하나님을 온전히 의지해야 한다.
하나님을 경외하는 자에게 임하는 복(128:1~6)　하나님을 경외하며 말씀대로 사는 사람은 복되고 형통하다. 그는 수고한 대로 얻을 것이며, 그의 가정은 풍요롭고 번성할 것이다. 시편 기자는 이스라엘 백성이 이같이 행함으로 하나님이 허락하시는 번영과 평안을 누리기를 기원한다.
고난에서 건지시는 하나님(129:1~8)　하나님은 수많은 대적으로부터 고난을 당한 이스라엘을 도우셨다. 시편 기자는 이 보호하심에 감사하며, 이스라엘을 압제하는 대적은 심판받아 멸망하리라고 선포한다.

소망이신 하나님(130:1~131:3) 고난의 유익은 그 가운데서 하나님을 만나고 그분을 더욱 알게 되는 것이다. 하나님은 간구하는 사람에게 구원의 은혜를 베푸시며, 고난 가운데서도 하나님을 의지하고 바라는 사람에게 참된 평안을 주시는 신실하신 분이다. 그러므로 겸손한 마음으로 소망이신 하나님만을 바라야 한다.

다윗과 언약하신 하나님(132:1~18) 다윗은 하나님의 언약궤를 기럇여아림에서 예루살렘으로 옮기기를 간절히 소망했다. 다윗이 준비한 장막에 언약궤가 들어올 때 제사장들은 희생 제사를 드리고 모든 백성은 함께 기뻐했다(삼하 6장). 언약궤는 곧 하나님의 임재를 상징하기 때문이다(출 25:22). 하나님은 다윗에게 기름 부어 왕으로 세우시고 언약을 맺으셨다(삼하 7:12~16). 시편 기자는 하나님이 다윗과 맺으신 언약을 기억하셔서 예루살렘에 복 주시기를 원한다. 하나님은 세상의 빛이신 메시아를 다윗의 후손으로 보내실 것이다.

연합의 아름다움(133:1~3) 믿음의 공동체가 하나 됨은 선하고 아름다운 일이다. 기름 부음 받은 제사장처럼 거룩하게 구별되어 하나님을 예배하는 성도들은 그분이 주시는 영원한 생명의 복을 함께 누린다.

하나님을 송축하는 종들(134:1~3) '성전에 올라가는 노래' 중 마지막 노래. 성전에 있는 '여호와의 종들'은 하나님을 섬기는 제사장들로 볼 수 있다(대상 9:27; 23:30). 한밤중에 선 채로 성소를 향해 손을 들고 하나님을 송축하는 이들의 모습은 하나님을 향한 온전한 헌신을 나타내며, 예배는 결코 중단될 수 없음을 의미한다. 그들은 먼저 하나님을 예배한 후 하나님의 이름으로 백성을 축복한다.

위대하신 주님의 은혜를 찬양하라
(135:1~137:9)

창조요 역사의 주관자(135:1~21) 하나님은 이스라엘을 선택하셔서 그분 백성 삼으시고 능력으로 애굽에서 구원해 내셨다. 많은 나라와 왕을 물리치시고 가나안 땅을 기업으로 주셨다. 생명이 없는 이방의 우상을 섬기는 백성은 멸망할 것이다. 모든 만물을 다스리시며 주관하시는 하나님만이 찬양받기 합당한 참신이시다. 그러므로 모든 성도는 하나님의 선하심과 위대하심을 찬양해야 하며, 아름답고 영원한 그분의 이름 앞에 경배해야 한다.

불순종의 경고와 회복의 약속

김경열
총신대 구약학
외래 교수

신명기 28장은 앞서 4장 44절~26장에서 선포된 율법의 준수 여부에 따른 축복과 저주를 담고 있다. 모세는 먼저 하나님을 향한 순종이 전제될 때 약속된 복을 설명한다(1~14절). 이스라엘이 하나님이 주신 말씀대로 순종의 삶을 산다면, 그들은 언제 어디서든 하나님이 주시는 복을 누릴 것이다(1~6절). 순종에 따른 복은 세 가지 범주로 나뉜다. 대적에 대한 승리(7~10절), 후손의 번성과 번영(11~12절), 그리고 세계에서 일등 국가가 되는 복이다(13~14절). 하지만 곧이어 축복의 내용과 상반된 저주의 내용이 매우 긴 분량에 걸쳐 언급된다. 언약 백성을 사랑하시는 하나님이 가나안 민족들이 아닌 이스라엘에게 저주를 퍼붓는 모습은 생경하게 다가온다.

불순종할 백성을 향한 '진멸'의 경고

28장에서 이스라엘에게 선포된 저주의 경고는 이례적으로 길다. 분량만 하더라도 복의 선언에 비해 4배에 달하며, 징벌의 종류는 거의 30여 가지나 된다. 이는 하나님의 선택을 받아 언약 백성이 된 이스라엘이라 할지라도, 하나님의 율법과 계명을 따르지 않는다면 가나안 민족들과 마찬가지로 '그 땅'에서 뽑혀 흩어지는 운명을 맞게 될 것임을 보여 준다. 앞서 8장 19~20절에서는 이스라엘이 다른 신들을 섬기고 절하면 반드시 멸망할 것이며 가나안 민족들같이 그들도 멸망할 것이라고 엄히 경

28장의 재앙 목록

20절	저주, 혼란, 책망	26절	시신 상해	35절	종기
21절	염병	27절	애굽의 종기, 치질, 괴혈병, 피부병	36절	강제 개종 당함
22절	폐병, 열병, 염증, 학질, 한재, 풍재, 썩는 재앙	28~29, 34절	미침, 눈멂, 정신 공황	37절	조롱거리
23~24절	가뭄	30~31, 33, 51절	약탈당함	38~40, 42절	메뚜기 폐해
25, 43~52절	패배	32, 41절	자녀가 포로 됨	53~57절	식인

고한다. 그런 점에서 진멸 전쟁은 가나안 민족들에게만 해당되는 가혹한 심판이라고 할 수 없다. 이스라엘도 그 땅에서 율법을 어기고 죄악을 범한다면 가나안 민족들과 마찬가지로 진멸의 대상이 될 것이다.

하나님이 가나안 민족들을 그 땅에서 추방하시고 '진멸'(헤렘)하시는 이유는 그들이 행한 죄악 때문이다. 우리는 하나님이 이스라엘에게 명하신 '진멸'을 그 땅에서 살아갈 백성을 교체하는 '이상적인 기준'으로 이해해야 한다. 실제로 가나안 땅에서 행해진 진멸의 행태는 추방, 곧 '내쫓음'으로 나타난다(2:22; 6:18~19; 7:1, 22; 9:4~5; 11:23; 12:2).

불순종으로 인한 재앙의 목록을 보면 뒤로 갈수록 재앙의 강도가 높아짐을 알 수 있다. 견디기 힘든 재앙으로 인해 이스라엘은 넋이 나가고, 그들이 신뢰하는 성은 포위되어 성안에 갇힌 굶주린 백성은 자녀까지 잡아먹는 지경에 이를 것이다. 이것이 이스라엘이 불순종할 때 당할 '진멸'이다.

회복과 희망, 미래의 약속

하나님은 무서운 심판을 행하시는 공의의 하나님이다. 하지만 동시에 자비의 하나님이시기도 하다. 불순종의 죄에 빠질 것이 예견되는 백성에게 저주를 경고하던 모세의 설교 분위기는 30장에서 바뀐다. 그는 온화하고 자비로운 말로 회복과 희망의 미래를 약속한다. 이스라엘이 불순종하더라도 죄에서 돌이켜 회개하면 회복될 것이다. 잃어버린 땅으로 귀환하고, 순종에 따른 모든 복이 다시 그들의 현실이 될 것이다. 모세는 이스라엘에게 순종에 따른 '번성과 장수', 불순종에 따른 '멸망과 죽음'이라는 선택지를 제시한다. 순종은 축복의 길, 불순종은 재앙의 길이다. 만일 이스라엘이 하나님을 사랑하고 그분의 명령을 온전히 따른다면, 그것은 생명과 선을 선택하는 결정이다. 반대로 그들이 우상을 따라가 섬긴다면, 그것은 사망과 악을 선택하는 결정이다. 그 결과는 엄중하다.

나를 비움으로 드리는
참된 예배

세상으로 채워져 있으면
'거룩함'을 담을 수 없습니다.

나로 채워져 있으면
'하나님'을 담을 수 없습니다.

'나'를 버리지 않으면
진정한 예배를 드릴 수 없습니다.

입술에서 '죄'를 버리지 않으면
진정한 찬양을 드릴 수 없습니다.

예배란 나를 버리고, 죄를 버리는
비움의 과정입니다.

– 공진수

네가 네 하나님 여호와의 말씀을 삼가 듣고
내가 오늘 네게 명령하는 그의 모든 명령을 지켜 행하면
네 하나님 여호와께서 너를 세계 모든 민족 위에 뛰어나게 하실 것이라(신 28:1).

01 · 분명하게 기록하고 지킬 생명의 말씀

신명기 27:1~10

1 모세와 이스라엘 장로들이 백성에게 명령하여 이르되 내가 오늘 너희에게 명령하는 이 명령을 너희는 다 지킬지니라

1 Moses and the elders of Israel commanded the people: "Keep all these commands that I give you today.

2 너희가 요단을 건너 네 하나님 여호와께서 네게 주시는 땅에 들어가는 날에 큰 돌들을 세우고 석회를 바르라

2 When you have crossed the Jordan into the land the LORD your God is giving you, set up some large stones and coat them with plaster.

3 요단을 건넌 후에 이 율법의 모든 말씀을 그 위에 기록하라 그리하면 네 하나님 여호와께서 네게 주시는 땅 곧 젖과 꿀이 흐르는 땅에 네가 들어가기를 네 조상들의 하나님 여호와께서 네게 말씀하신 대로 하리라

3 Write on them all the words of this law when you have crossed over to enter the land the LORD your God is giving you, a land flowing with milk and honey, just as the LORD, the God of your ancestors, promised you.

4 너희가 요단을 건너거든 내가 오늘 너희에게 명령하는 이 돌들을 에발산에 세우고 그 위에 석회를 바를 것이며

4 And when you have crossed the Jordan, set up these stones on Mount Ebal, as I command you today, and coat them with plaster.

5 또 거기서 네 하나님 여호와를 위하여 제단 곧 돌단을 쌓되 그것에 쇠 연장을 대지 말지니라

5 Build there an altar to the LORD your God, an altar of stones. Do not use any iron tool on them.

오늘의 찬송 (새 327 통 361 주님 주실 화평)

주님 주실 화평 믿음 얻기 위해 너는 정성껏 기도했으나 주의 제단 앞에 모두 바치기 전 복을 받을 줄 생각 마라 주의 제단에 산제사 드린 후에 주 네 맘을 주장하니 주의 뜻을 따라 그와 동행하면 영생 복락을 누리겠네

---

6 너는 다듬지 않은 돌로 네 하나님 여호와의 제단을 쌓고 그 위에 네 하나님 여호와께 번제를 드릴 것이며

6 Build the altar of the LORD your God with fieldstones and offer burnt offerings on it to the LORD your God.

7 또 화목제를 드리고 거기에서 먹으며 네 하나님 여호와 앞에서 즐거워하라

7 Sacrifice fellowship offerings there, eating them and rejoicing in the presence of the LORD your God.

8 너는 이 율법의 모든 말씀을 그 돌들 위에 분명하고 정확하게 기록할지니라

8 And you shall write very clearly all the words of this law on these stones you have set up."

9 모세와 레위 제사장들이 온 이스라엘에게 말하여 이르되 이스라엘아 잠잠하여 들으라 오늘 네가 네 하나님 여호와의 백성이 되었으니

9 Then Moses and the Levitical priests said to all Israel, "Be silent, Israel, and listen! You have now become the people of the LORD your God.

10 그런즉 네 하나님 여호와의 말씀을 청종하여 내가 오늘 네게 명령하는 그 명령과 규례를 행할지니라

10 Obey the LORD your God and follow his commands and decrees that I give you today."

오늘의 말씀 요약

이스라엘은 요단을 건너면 큰 돌들을 세우고 석회를 발라 그 위에 율법의 모든 말씀을 기록한 후 그 돌들을 에발산에 세워야 합니다. 또 거기서 다듬지 않은 돌로 제단을 쌓고 번제와 화목제를 드려야 합니다. 하나님 백성이 된 이스라엘은 마땅히 하나님께 순종하고 그분 명령을 지켜야 합니다.

말씀을 돌들에 새기고 제단을 쌓으라
27:1~5

하나님이 주신 율법은 언약 백성이 대대손손 기억하고 지킬 영원한 말씀입니다. 율법을 모두 선포한 후(4~26장) 모세는 에발산 언약식을 준비하게 합니다. 이스라엘 백성은 요단을 건넌 후 큰 돌들에 석회를 발라 율법의 모든 말씀을 기록해야 합니다. 그리고 그 돌들을 세겜 북쪽 에발산에 세워야 합니다. 이는 말씀을 보존하고 현 세대와 오는 세대 모두 이를 기억하게 하기 위함입니다. 에발산에 돌 제단을 쌓을 때는 돌을 다듬어 우상을 만드는 가나안 민족처럼 쇠 연장을 사용하면 안 됩니다. 하나님 백성은 삶의 모든 방식을 말씀에 맞추어야 합니다. 세상 방법을 따르지 않도록 하나님 말씀을 마음에 새겨, 말씀이 주장하는 삶을 살아야 합니다.

요단을 건넌 후 이스라엘이 큰 돌들에 율법의 모든 말씀을 기록해야 하는 이유는 무엇일까요? 오늘 내 마음에 새겨 순종할 하나님 말씀은 무엇인가요?

언약의 제사를 드리고 말씀에 순종하라
27:6~10

하나님을 주인으로 모시고 그분 뜻을 따라 사는 사람이 하나님 백성입니다. 이스라엘 백성은 율법에 따라 다듬지 않은 돌로 제단을 쌓고(출 20:25) 하나님께 번제와 화목제를 드려야 합니다. 짐승 전부를 태워 드리는 번제는 하나님을 향한 수직적 제사를, 짐승의 일부만 태우고 나머지는 제사에 참여한 이들이 나누어 갖는 화목제는 수평적 제사를 상징합니다. 이는 하나님 사랑과 이웃 사랑의 정신이 율법 안에 깃들어 있음을 보여 줍니다. 또한 율법은 누구나 보고 이해할 수 있도록 '분명하고 정확하게' 기록해야 합니다. 언약은 말씀에 기초하기 때문입니다. 하나님 백성의 면모는 하나님 말씀에 귀 기울이는 태도와 순종하는 삶으로 나타납니다. 말씀을 망각하고 불순종한다면 하나님 백성의 자격을 상실하고 맙니다.

모세와 레위 제사장들이 선포한 이스라엘의 정체성은 무엇인가요? 하나님의 거룩한 백성답게 살기 위해 나는 어떤 노력을 해야 할까요?

| 오늘의 기도 | 말씀과 예배를 통해 제 정체성을 확고히 하기 원하시는 하나님의 마음을 깨닫습니다. 매일 제 마음 판에 하나님 말씀을 분명하고 정확하게 새기게 하소서. 왕이신 하나님의 명령을 듣고 순종의 제사를 즐거이 드리며, 하나님 백성임을 삶으로 확증하게 하소서. |

나를 지켜 주는 말씀

하나님 대답을 듣고
싶어요/
박명수

한 TV 프로그램에서 취재 기자가 91세 할머니에게 물었다. "할머니, 소원이 뭐예요?" "남들이 들으면 욕하겠지만 오래오래 사는 게 소원이에요." "왜 그렇게 오래 살고 싶으세요?" "오래 살아야 내 딸을 돌보거든요." 노환에 몸 가누기도 여의치 않은 그 할머니는 두 다리를 제대로 쓰지 못하는 중증 장애를 가진 70세 넘은 딸을 돌보며 살았다. 할머니는 다른 사람의 부축이나 보조 장비 없이는 걸음조차 떼기 어려운 이 딸과 평생 함께했다. 화장실을 갈 때도, 목욕을 할 때도 늘 함께였다. 이 할머니가 91세까지 사신 비결은 딸이다. 그 버거운 삶이 할머니를 지켰다.

　하나님 말씀이 일평생 져야 할 버거운 짐으로만 느껴지는가? 누구든 말씀을 짐으로 여겨 피하려 한다면 위험에 노출된다. 말씀은 협상 대상이 아니다. 쉽고 가벼운 것, 내가 할 수 있는 것만 선택하려 하면 위험은 거기서 시작된다. 번지 점프 줄이 무겁다고 가느다란 줄로 교체해 달라는 사람은 없다. 줄이 거추장스럽다고 잘라 달라는 사람도 없다. 그 줄이 생명 줄과 같기 때문이다. 말씀이 생명 줄이다. 불편할수록 안전해진다. 무거운 짐일수록 신앙의 균형을 잡아 준다. 그러므로 성도는 말씀을 단단히 붙들고 하나님이 이끄시는 길로 가야 한다. 우리가 말씀을 지키려 애쓸 때 결국 그 말씀이 우리를 지킨다. 말씀을 지키는 수고가 성도의 삶을 안전하게 한다. _CLC

한절 묵상

올바른 길을
계속해서 가는
믿음의 삶은
진리의 말씀을
좇는 것에서 시작된다.
– 피터 블룸필드

신명기 27장 5절 | 화려한 보석과 장식, 장인의 예술적 기교가 들어간 가나안의 제단들은 외적으로 매우 아름다웠습니다. 하지만 하나님은 이스라엘 백성이 제단을 쌓을 때 쇠 연장으로 다듬지 않은 자연 상태의 돌을 사용하라고 명하십니다. 제단의 화려한 모습에 마음을 빼앗기지 말고 오직 순수한 마음으로 하나님만 바라볼 수 있도록 하기 위함입니다. 성도가 추구할 것은 세상의 화려함이 아니라 말씀에 대한 단순한 순종입니다. 이희성/「교회와 함께 읽는 신명기」

02 · 하나님의 모든 말씀에 '아멘'으로 순종하십시오

신명기 27:11~26

11 모세가 그날 백성에게 명령하여 이르되 12 너희가 요단을 건넌 후에 시므온과 레위와 유다와 잇사갈과 요셉과 베냐민은 백성을 축복하기 위하여 그리심산에 서고 13 르우벤과 갓과 아셀과 스불론과 단과 납달리는 저주하기 위하여 에발산에 서고 14 레위 사람은 큰 소리로 이스라엘 모든 사람에게 말하여 이르기를

11 On the same day Moses commanded the people: 12 When you have crossed the Jordan, these tribes shall stand on Mount Gerizim to bless the people: Simeon, Levi, Judah, Issachar, Joseph and Benjamin. 13 And these tribes shall stand on Mount Ebal to pronounce curses: Reuben, Gad, Asher, Zebulun, Dan and Naphtali. 14 The Levites shall recite to all the people of Israel in a loud voice:

15 장색의 손으로 조각하였거나 부어 만든 우상은 여호와께 가증하니 그것을 만들어 은밀히 세우는 자는 저주를 받을 것이라 할 것이요 모든 백성은 응답하여 말하되 아멘 할지니라

15 "Cursed is anyone who makes an idol—a thing detestable to the LORD, the work of skilled hands—and sets it up in secret." Then all the people shall say, "Amen!"

16 그의 부모를 경홀히 여기는 자는 저주를 받을 것이라 할 것이요 모든 백성은 아멘 할지니라 17 그의 이웃의 경계표를 옮기는 자는 저주를 받을 것이라 할 것이요 모든 백성은 아멘 할지니라 18 맹인에게 길을 잃게 하는 자는 저주를 받을 것이라 할 것이요 모든 백성은 아멘 할지니라 19 객이나 고아나 과부의 송사를 억울하게 하는 자는 저주를 받을 것이라 할 것이요 모든 백성은 아멘 할지니라

16 "Cursed is anyone who dishonors their father or mother." Then all the people shall say, "Amen!" 17 "Cursed is anyone who moves their neighbor's boundary stone." Then all the people shall say, "Amen!" 18 "Cursed is anyone who leads the blind astray on the road." Then all the people shall say, "Amen!" 19 "Cursed is anyone who withholds justice from the foreigner, the fatherless or the widow." Then all the people shall say, "Amen!"

장색(15절) 물건을 만드는 일을 직업으로 삼는 사람을 가리킨다.

경계표(17절) 이에 해당하는 히브리어는 '게불'로, 개인 혹은 가문의 소유지를 구분 짓는 경계석을 가리킨다.

오늘의 찬송 (새 420 통 212 너 성결키 위해)

(경배와 찬양) 나 주님의 기쁨 되기 원하네 내 마음을 새롭게 하소서 새 부대가 되게 하여 주사 주님의 빛 비추게 하소서 내가 원하는 한 가지 주님의 기쁨이 되는 것 내가 원하는 한 가지 주님의 기쁨이 되는 것

---

20 그의 아버지의 아내와 동침하는 자는 그의 아버지의 하체를 드러냈으니 저주를 받을 것이라 할 것이요 모든 백성은 아멘 할지니라 21 짐승과 교합하는 모든 자는 저주를 받을 것이라 할 것이요 모든 백성은 아멘 할지니라 22 그의 자매 곧 그의 아버지의 딸이나 어머니의 딸과 동침하는 자는 저주를 받을 것이라 할 것이요 모든 백성은 아멘 할지니라 23 장모와 동침하는 자는 저주를 받을 것이라 할 것이요 모든 백성은 아멘 할지니라

20 "Cursed is anyone who sleeps with his father's wife, for he dishonors his father's bed." Then all the people shall say, "Amen!" 21 "Cursed is anyone who has sexual relations with any animal." Then all the people shall say, "Amen!" 22 "Cursed is anyone who sleeps with his sister, the daughter of his father or the daughter of his mother." Then all the people shall say, "Amen!" 23 "Cursed is anyone who sleeps with his mother-in-law." Then all the people shall say, "Amen!"

24 그의 이웃을 암살하는 자는 저주를 받을 것이라 할 것이요 모든 백성은 아멘 할지니라 25 무죄한 자를 죽이려고 뇌물을 받는 자는 저주를 받을 것이라 할 것이요 모든 백성은 아멘 할지니라

24 "Cursed is anyone who kills their neighbor secretly." Then all the people shall say, "Amen!" 25 "Cursed is anyone who accepts a bribe to kill an innocent person." Then all the people shall say, "Amen!"

26 이 율법의 말씀을 실행하지 아니하는 자는 저주를 받을 것이라 할 것이요 모든 백성은 아멘 할지니라

26 "Cursed is anyone who does not uphold the words of this law by carrying them out." Then all the people shall say, "Amen!"

오늘의 말씀 요약

요단을 건너면 이스라엘 여섯 지파는 축복하기 위해 그리심산에, 다른 여섯 지파는 저주하기 위해 에발산에 섭니다. 레위인이 우상 숭배자, 부모를 경홀히 여기는 자, 경계표 옮기는 자, 약한 자를 억울케 하는 자, 부정한 성관계를 맺는 자, 살인자는 저주받을 것이라 하면 모든 백성이 '아멘' 합니다.

35

레위 사람이 선포할 저주 선언들
27:11~19

하나님이 말씀하시는 죄악의 목록은 언약 백성을 바른길로 이끄는 표지판입니다. 모세는 언약의 마지막 절차를 위해 이스라엘을 여섯 지파씩 양분해서 그리심산에서는 축복을, 에발산에서는 저주를 선언하게 합니다. 레위 사람은 두 산 중간에 서서 저주받을 행위들을 큰 소리로 낭독합니다. 신명기 27장에는 축복 선언이 생략되고 저주 선언만 기록됩니다. 축복과 관련된 계명은 받아들이기 쉽기에 특별히 강조할 필요가 없는 반면, 불순종의 죄는 엄중히 경고할 필요가 있었기에 모세는 12개 저주 목록을 분명하게 기록합니다. 처음 다섯 개는 '우상 금지, 부모 공경, 사회 정의'를 위반했을 때 받을 저주입니다. 이 계명들이 가장 중요했기 때문에 먼저 언급했을 것입니다. 성도는 하나님의 모든 말씀에 '아멘'으로 화답하고 순종해 저주의 자리가 아닌 축복의 자리에 서야 합니다.

축복 선언은 생략되고 저주 선언만 기록된 이유는 무엇일까요? 저주의 자리가 아닌 축복의 자리에 서기 위해 나는 어떤 일을 주의해야 할까요?

은밀히 행해지는 죄에 대한 저주
27:20~26

사람의 눈은 피할 수 있지만 죄를 심판하시는 하나님의 눈은 피할 수 없습니다. 하나님은 이스라엘 백성에게 성 윤리를 준수할 것을 명하십니다. 저주받을 행위에 포함된 근친상간과 수간은 고대 근동 문화에 널리 퍼져 있었습니다. 이스라엘은 당대 문화권에 만연한 이러한 행위들을 철저히 배척하고 공동체 안에 성적 순결성을 구축해야 합니다. 이웃을 몰래 죽이는 행위와 뇌물을 받아 그릇된 판결로 사람을 죽이는 자는 저주를 받습니다. 저주받을 죄목들은 은밀하게 저질러지는 것이 많습니다. 저주를 불러오는 죄의 유혹에 빠지지 않으려면 작은 틈도 허용해서는 안 됩니다.

풍습같이 행해지는 죄들을 하나님이 금하신 이유는 무엇일까요? 은밀한 죄의 유혹에 빠지지 않도록 내가 개선해야 할 습관은 무엇인가요?

오늘의 기도
죄의 치명적인 심각성에 무감각한 세상 속에서 거룩하게 살기 위해 몸부림칩니다. 온 힘 다해 하나님을 섬기고 이웃을 사랑하는 성도다운 성도가 되게 하소서. 축복과 저주가 갈리는 길목에서 하나님의 엄중한 말씀에 '아멘'으로 순복하게 하소서.

스키를 배우는 시각 장애인처럼

모든 교인은
교회의 리더다/
김원태

어떤 사람이 시원하게 펼쳐진 콜로라도의 설원 위에서 신나게 스키를 즐기던 중 슬로프(스키장에서 스키를 타도록 만든 경사진 곳)에서 빨간 조끼를 입은 몇몇 사람을 보게 되었다. 궁금해서 가까이 다가가니 조끼에 '시각 장애인'이라 쓰여 있었다. 그는 깜짝 놀랐다. '나는 건강한 두 눈을 가지고도 스키 타기가 힘든데 앞이 보이지도 않는 사람이 스키를 타는 게 가능할까?' 그 남자는 그들이 스키 타는 모습을 유심히 지켜보았다. 그 해답은 놀랄 만큼 간단했다. 그들 각자에게 앞뒤로 인도자가 있었다. 앞에 있는 인도자는 음악 소리를 내며 앞서가고, 뒤에 있는 지도자는 왼쪽, 오른쪽, 천천히, 멈춤 등을 계속 지시해 주었다. 스키를 타는 사람은 그 신호를 전폭적으로 따르기만 하면 되었다.

　스키를 배우는 시각 장애인과 같이 우리는 바로 5초 후에 일어날 상황도 알지 못한다. 그러나 우리 인도자요 지도자 되시는 하나님이 우리와 함께하신다. 우리에게도 할 일이 있다. 우리를 인도하시는 하나님 말씀에 즉시 순종하는 것이다. 하나님은 당신이 망하길 원하지 않으신다. 당장 이해가 되지 않아도 순종만 하면 하나님은 당신의 삶을 가장 안전하게 이끄신다. 혹시라도 불순종과 반항의 찌꺼기가 남아 있다면 깨끗이 제하도록 하라. 당신의 작은 순종으로 온 땅에 하나님의 복이 흘러들어온다. 당신이 있는 자리에서 순종하며 하나님이 하실 일을 기대하라. _브니엘

한절 묵상

주님을 향한 헌신과
이웃을 향한 온정은
반드시 거룩함에
기초해야 한다.
- 레이먼드 브라운

신명기 27장 13절 | 약속의 땅에 첫발을 내딛는 이스라엘에게 하나님은 저주의 말씀을 주십니다. 자칫 들떠서 언약 백성의 위치를 망각하지 않도록 '경고'의 쉼표를 주신 것입니다. 오선지에 적힌 음표만 악보가 아닙니다. 쉼표도 악보의 주요한 부분입니다. 쉴 줄 알아야 곡을 제대로 연주할 수 있습니다. 축복만이 아니라 저주도 복음의 일부입니다. 삶을 성찰하도록 하는 여백인 저주의 경고를 간과하지 않아야 합니다. 왕대일/「왕대일 교수의 신명기 강의」

03 · 순종의 사람은 복의 근원입니다

신명기 28:1~6

1 네가 네 하나님 여호와의 말씀을 삼가 듣고 내가 오늘 네게 명령하는 그의 모든 명령을 지켜 행하면 네 하나님 여호와께서 너를 세계 모든 민족 위에 뛰어나게 하실 것이라

1 If you fully obey the LORD your God and carefully follow all his commands I give you today, the LORD your God will set you high above all the nations on earth.

2 네가 네 하나님 여호와의 말씀을 청종하면 이 모든 복이 네게 임하며 네게 이르리니

2 All these blessings will come on you and accompany you if you obey the LORD your God:

3 성읍에서도 복을 받고 들에서도 복을 받을 것이며

3 You will be blessed in the city and blessed in the country.

오늘의 찬송 (새 449 통 377 예수 따라가며)

예수 따라가며 복음 순종하면 우리 행할 길 환하겠네 주를 의지하며 순종하는
자를 주가 늘 함께하시리라/ 해를 당하거나 우리 고생할 때 주가 위로해 주시
겠네 주를 의지하며 순종하는 자를 주가 안위해 주시리라/ (후렴) 의지하고 순
종하는 길은 예수 안에 즐겁고 복된 길이로다

---

4 네 몸의 자녀와 네 토지의 소산과 네 짐승의 새끼와 소 와 양의 새끼가 복을 받을 것이며

4 The fruit of your womb will be blessed, and the crops of your land and the
young of your livestock—the calves of your herds and the lambs of your flocks.

5 네 광주리와 떡 반죽 그릇이 복을 받을 것이며

5 Your basket and your kneading trough will be blessed.

6 네가 들어와도 복을 받고 나가도 복을 받을 것이니라

6 You will be blessed when you come in and blessed when you go out.

오늘의 말씀 요약

하나님 말씀을 삼가 듣고 모든 명령을 지켜 행하면 하나님이 이스라엘을 모
든 민족 위에 뛰어나게 하실 것입니다. 그들은 성읍에서든 들에서든 복을
받습니다. 자녀, 토지소산과 짐승의 새끼, 광주리와 떡 반죽 그릇도 복을 받
을 것입니다. 그들은 들어와도 복을 받고 나가도 복을 받을 것입니다.

열방 중에서 높이실 하나님의 복
28:1~2

하나님 말씀은 모든 복의 통로입니다. 모세는 28장에서 율법을 지킬 때 누릴 복과 어길 때 받을 저주를 공포하며 율법 선포를 마무리합니다. 축복보다 저주 내용이 네 배나 많은 것은 불순종을 행하기 쉬운 인간의 죄성이 반영된 것입니다. 모세는 먼저 축복의 조건을 제시합니다. 이스라엘이 하나님 말씀을 겸손히 '듣고' 그분의 모든 명령을 지켜 '행하면', 하나님이 그들을 세계 모든 민족 위에 뛰어나게 하신다는 것입니다. 애굽의 노예에 불과했던 작은 민족 이스라엘이 열방 가운데 높아지고 모든 복을 누릴 수 있는 길은 하나님 말씀을 '청종'하는 것입니다. 성도는 복을 좇아 살기보다 하나님 말씀을 듣고 행함으로 복의 근원이 되어야 합니다. 하나님 말씀대로 살면 복된 약속의 말씀이 우리 삶에서 성취됩니다.

하나님 백성이 모든 민족 위에 뛰어나게 될 수 있는 비결은 무엇인가요? 하나님의 복을 누리기 위해 나는 말씀을 대하는 태도를 어떻게 바꾸어야 할까요?

모든 영역에 쏟아질 하나님의 복
28:3~6

하나님 말씀에 순종하는 사람은 어디에서 무엇을 하든지 복을 받습니다. '성읍'과 '들'은 일상과 연결된 모든 장소를 의미합니다. 우리는 직업이나 상황에 따라 다양한 장소에 머물 수 있습니다. 이때 중요한 것은 장소 자체가 아니라 우리의 태도와 행실입니다. 말씀에 순종하는 사람이 머무는 곳에 하나님의 복이 임합니다. 순종함으로 자녀와 모든 소유가 복을 받으면 식탁은 풍성한 잔칫상이 됩니다. 말씀에 순종하는 사람은 들어와도 복을 받고 나가도 복을 받습니다. 하나님을 신뢰하고 말씀을 존중하면 우리 삶의 모든 영역이 놀랍게 변화될 것입니다. 하나님은 언제 어디서나 말씀에 순종하는 자에게 가장 복된 길을 예비하십니다.

말씀에 순종하는 백성이 누리는 복의 범위는 어디까지인가요? 삶의 현장에 하나님의 복이 임하도록 내가 순종할 말씀은 무엇인가요?

| 오늘의 기도 | 모든 복의 근원이신 하나님! 제가 참된 복을 바로 알아 세상의 헛된 복을 좇지 않게 하소서. 날마다 주시는 말씀을 주의 깊게 듣고 따라, 풍성하게 채우시고 존귀하게 높여 주시는 하나님의 복을 받기에 합당한 사람이 되게 하소서. |

이끄심의 신비를 경험하는 사람

하나님이 내시는 길/
한홍

중국 알리바바 그룹의 창업자인 마윈 회장은 명문대를 나오지도 않았고, IT 분야를 전공하지도 않았다. 가난한 집안에서 자란 평범한 영어 강사였다. 그런 그가 창업 15년 만에 중국을 넘어 세계를 집어삼켰다. 그가 스탠퍼드대학에서 강의할 때 아주 재미있는 말을 했다. 자신의 성공 비결은 '돈, 기술, 계획' 이 세 가지의 부재였다는 것이다. 돈이 없었기에 돈으로 해결할 문제를 치열하게 고민하며 아이디어와 노력으로 응전해야 했고, 기술이 없었기에 능력 있는 기술자를 존중하고 우대했다는 것이다. 또 계획이 없었기에 변화하는 시장에 발 빠르게 대처하는 유연성을 갖출 수 있었다고 한다.

　가진 것이 없다고 길이 막히는 것이 아니다. 하나님은 빈털터리 난민에 불과했던 이스라엘 백성을 젖과 꿀이 흐르는 가나안 땅으로 인도하셨다. 가진 것이 없기 때문에 하나님이 보여 주시는 길을 가게 된다. 가진 것이 없기 때문에 더 겸손하게 기도하며 하나님의 인도하심을 따를 수 있고, 다른 사람을 소중히 여기며 함께 팀워크를 이루어 갈 수 있다. 그렇게 하나님 말씀에 순종하며 겸손히 한 걸음씩 나아가라. 눈앞의 상황이 아무리 어려워도 하나님은 반드시 아름다운 미래를 열어 주실 것이다. 사람의 눈으로 볼 수 없는 하나님의 길, 그 완전하고 복된 길을 걷는 우리 모두가 되기를 바란다. _규장

최고의 복은
하나님 뜻에 순종해
그분 안에 거하는
삶의 소산이다.
– 아더 핑크

> 신명기 28장 1~2절 | 세상은 복을 받는 다양한 방법을 제시합니다. 혹자는 근면과 성실이 비결이라고 말하고, 혹자는 남다른 사고를 해야 한다고 가르치기도 합니다. 하지만 하나님이 주시는 복을 받는 방도는 그분의 명령을 삼가 듣고, 그대로 지켜 행하는 것입니다. 언약 백성이 하나님을 알지 못하는 세상 민족을 능가할 저력은 하나님 말씀을 묵상하고 순종하는 태도에서 나옵니다. 순종이 성도의 가장 큰 힘이요 무기입니다. 최낙재/「신명기는 무엇을 말하는가 2」

04 · 말씀 순종이 선물하는 승리와 명예와 부요함

신명기 28:7~14

7 여호와께서 너를 대적하기 위해 일어난 적군들을 네 앞에서 패하게 하시리라 그들이 한길로 너를 치러 들어왔으나 네 앞에서 일곱 길로 도망하리라

7 The LORD will grant that the enemies who rise up against you will be defeated before you. They will come at you from one direction but flee from you in seven.

8 여호와께서 명령하사 네 창고와 네 손으로 하는 모든 일에 복을 내리시고 네 하나님 여호와께서 네게 주시는 땅에서 네게 복을 주실 것이며

8 The LORD will send a blessing on your barns and on everything you put your hand to. The LORD your God will bless you in the land he is giving you.

9 여호와께서 네게 맹세하신 대로 너를 세워 자기의 성민이 되게 하시리니 이는 네가 네 하나님 여호와의 명령을 지켜 그 길로 행할 것임이니라

9 The LORD will establish you as his holy people, as he promised you on oath, if you keep the commands of the LORD your God and walk in obedience to him.

10 땅의 모든 백성이 여호와의 이름이 너를 위하여 불리는 것을 보고 너를 두려워하리라

10 Then all the peoples on earth will see that you are called by the name of the LORD, and they will fear you.

11 여호와께서 네게 주리라고 네 조상들에게 맹세하신 땅에서 네게 복을 주사 네 몸의 소생과 가축의 새끼와 토지의 소산을 많게 하시며

오늘의 찬송 (새 393 통 447 오 신실하신 주)

(경배와 찬양) 주님 말씀하시면 내가 나아가리다 주님 뜻이 아니면 내가 멈춰 서리라 나의 가고 서는 것 주님 뜻에 있으니 오 주님 나를 이끄소서(x2)/ 뜻하신 그곳에 나 있기 원합니다 이끄시는 대로 순종하며 살리니 연약한 내 영혼 통하여 일하소서 주님 나라와 그 뜻을 위하여(x2) 오 주님 나를 이끄소서

11 The LORD will grant you abundant prosperity—in the fruit of your womb, the young of your livestock and the crops of your ground—in the land he swore to your ancestors to give you.

12 여호와께서 너를 위하여 하늘의 아름다운 보고를 여시사 네 땅에 때를 따라 비를 내리시고 네 손으로 하는 모든 일에 복을 주시리니 네가 많은 민족에게 꾸어 줄지라도 너는 꾸지 아니할 것이요

12 The LORD will open the heavens, the storehouse of his bounty, to send rain on your land in season and to bless all the work of your hands. You will lend to many nations but will borrow from none.

13 여호와께서 너를 머리가 되고 꼬리가 되지 않게 하시며 위에만 있고 아래에 있지 않게 하시리니 오직 너는 내가 오늘 네게 명령하는 네 하나님 여호와의 명령을 듣고 지켜 행하며

13 The LORD will make you the head, not the tail. If you pay attention to the commands of the LORD your God that I give you this day and carefully follow them, you will always be at the top, never at the bottom.

14 내가 오늘 너희에게 명령하는 그 말씀을 떠나 좌로나 우로나 치우치지 아니하고 다른 신을 따라 섬기지 아니하면 이와 같으리라

14 Do not turn aside from any of the commands I give you today, to the right or to the left, following other gods and serving them.

오늘의 말씀 요약

하나님 명령을 지켜 그 길로 행하면 하나님은 적군을 패하게 하시고, 창고와 모든 일과 땅에 복을 주시며, 백성을 그분의 성민 삼으실 것입니다. 좌우로 치우치지 않고 하나님 말씀에 순종하면 자손과 가축과 소산이 많아집니다. 많은 민족에게 꾸어 주며, 꼬리가 아닌 머리가 될 것입니다.

말씀 순종으로 승리하는 백성
28:7~10

말씀 순종은 승리의 삶을 약속합니다. 이스라엘이 하나님을 경외하고 말씀에 순종하면 모든 전쟁에서 승리하는 나라가 될 것입니다. 대적들이 대열을 갖춰 이스라엘을 치러 '한길'로 오지만, 만군의 하나님이 그들을 치시면 완전히 패해 '일곱 길'로 도망갈 것입니다. 언약 백성의 강함은 인간적인 힘과 군사력에서 나오는 것이 아니라, 하나님이 명하신 길로 행하는 '순종'에서 나옵니다. 대적을 무찌르면 승전의 복을 누리고 평화 속에서 번영합니다. 말씀에 순종하면 창고와 손으로 하는 모든 일에 하나님의 복이 넘칠 것입니다. 하나님이 그분의 성민(거룩한 백성)으로 인정해 주시니, 땅의 모든 백성이 이스라엘을 두려워할 것입니다. 하나님 말씀에 순종해 그분의 손에 붙들린 민족은 반드시 승리와 번영을 누립니다.

땅의 모든 백성이 이스라엘을 보고 두려워할 이유는 무엇인가요? 승리하는 삶을 위해 나는 어떤 부분을 기도하며 힘써야 할까요?

말씀 순종으로 풍요를 누리는 백성
28:11~14

미래에 약속된 모든 복을 현실로 바꾸는 것은 오늘의 순종에 달려 있습니다. 이스라엘이 말씀에 순종하면 모든 영역에 하나님의 복이 임해 젖과 꿀이 흐르는 약속의 땅이 현실화될 것입니다. 그 땅에서 자녀의 복을 받아 인구가 늘어나고 가축이 번성할 것입니다. 하나님이 하늘의 보고(寶庫)를 열어 복을 쏟아 부으실 것입니다. 가나안 땅에서 가장 귀한 보물은 때를 따라 내리는 이른 비와 늦은 비입니다. 이로써 이스라엘은 풍성한 수확을 얻고 다른 민족에게 꾸어 주는 민족이 됩니다. 하나님 말씀에 순종하면 꼬리가 아닌 머리가 되어 세상을 이끄는 민족으로 우뚝 섭니다. 말씀을 푯대 삼아 흔들림 없이 걸어갈 때 약속된 모든 복이 우리 삶에 임할 것입니다.

하나님이 약속하신 모든 복을 누리는 비결은 무엇인가요? 나는 어떻게 열방에 선한 영향력을 끼치는 하나님의 사람으로 살아갈 수 있나요?

| 오늘의 기도 | 하나님께 복 받기를 간구하면서도 말씀 순종에는 참으로 무덤덤했던 제 모습을 회개합니다. 하나님 말씀만 붙들고 치우침 없이 생명의 길을 가게 하소서. 저와 공동체를 이끄시는 하나님의 승리와 능력을 세상이 보고 깨달아 하나님을 경외하게 하소서. |

모든 상황을 주관하시는 하나님

인생의 바람이 불 때/
이규현

"꿈을 가질 때만 청춘이다."라는 말이 있습니다. 하지만 꿈이 있다고 해서 저절로 이뤄지지는 않습니다. 세상은 마치 어디로 튈지 모르는 럭비공처럼 한 치 앞을 예측하기 어렵습니다. 아무리 부지런히 열심히 해도 잘되지 않을 수 있고, 치밀하게 짠 계획이 물거품이 될 수 있습니다. 경영에 아무리 탁월한 사람이라도 경영 능력과 상관없는 문제가 돌발적으로 일어나면 손쓸 수 없습니다. 인간관계도 마찬가지입니다. 아주 사소한 일이 오해를 일으키고, 변칙적인 일이 일어나 관계를 망칩니다. 내 마음 하나도 내가 어쩌지 못하는데, 여러 사람과 관계를 맺자니 얼마나 변수가 많겠습니까? 세상은 앞으로 더 복잡해지고 까다로워지고 예측하기 힘들어질 것입니다.

　이때 믿음이 왜 중요합니까? 믿음은 일어난 상황을 바라보는 것이 아니라, 상황을 선(善)으로 바꾸시는 하나님을 바라보는 것입니다. 내 삶에 일어나는 일이 파편적이고 서로 관계없어 보일지라도 하나님은 모든 것이 합력해 선을 이루게 하십니다. 하나님의 시선으로 보면 어떤 것도 우연한 것이 없고 가치 없는 것이 없습니다. 어제까지 나를 괴롭히던 일이 오늘은 내 삶을 축복으로 연결하는 고리가 되기도 합니다. 모든 상황을 주관하시는 하나님과 그분 말씀만 믿고 순종함으로 광야를 잘 통과하면, 반드시 가나안이 열립니다. 99%가 안 된다고 해도 하나님이 하시면 됩니다. _ 두란노

한절 묵상

하나님 형상으로
산다는 것은
그분이 주신 지배권을
말씀을 따라 바르게
행사하는 것이다.
– 베리 첸트

신명기 28장 9절 | '성민'(聖民)이라는 신분은 이스라엘의 정체성을 알려 주는 것으로, 하나님이 주신 복 중의 복입니다. 하지만 성민의 칭호는 단순히 이스라엘이라는 혈통 때문에 주어지는 것이 아니며, 하나님 명령을 지키고 순종하는 자들에게(28:1~2) 하나님이 베푸시는 은혜의 명칭입니다. 늘 깨어 하나님 말씀에 귀 기울이고 그 말씀대로 순종하며 살아 '거룩한 백성(성민)이 되는 것이 우리가 누릴 수 있는 가장 큰 복입니다. 이세용/「새벽 만나 신명기」

05 · 불순종의 길로 행하면 은혜가 저주로 바뀝니다

신명기 28:15~24

15 네가 만일 네 하나님 여호와의 말씀을 순종하지 아니하여 내가 오늘 네게 명령하는 그의 모든 명령과 규례를 지켜 행하지 아니하면 이 모든 저주가 네게 임하며 네게 이를 것이니

15 However, if you do not obey the LORD your God and do not carefully follow all his commands and decrees I am giving you today, all these curses will come on you and overtake you:

16 네가 성읍에서도 저주를 받으며 들에서도 저주를 받을 것이요

16 You will be cursed in the city and cursed in the country.

17 또 네 광주리와 떡 반죽 그릇이 저주를 받을 것이요

17 Your basket and your kneading trough will be cursed.

18 네 몸의 소생과 네 토지의 소산과 네 소와 양의 새끼가 저주를 받을 것이며

18 The fruit of your womb will be cursed, and the crops of your land, and the calves of your herds and the lambs of your flocks.

19 네가 들어와도 저주를 받고 나가도 저주를 받으리라

19 You will be cursed when you come in and cursed when you go out.

20 네가 악을 행하여 그를 잊으므로 네 손으로 하는 모든 일에 여호와께서 저주와 혼란과 책망을 내리사 망하며 속히 파멸하게 하실 것이며

오늘의 찬송 (새 287 통 205 예수 앞에 나오면)

예수 앞에 나오면 죄 사함 받으며 주의 품에 안기어 편히 쉬리라/ 예수 앞에 나와서 은총을 받으며 맘에 기쁨 넘치어 감사하리라/ 예수 앞에 설 때에 흰옷을 입으며 밝고 빛난 내 집에 길이 살리라/ (후렴) 우리 주만 믿으면 모두 구원 얻으며 영생 복락 면류관 확실히 받겠네

20 The LORD will send on you curses, confusion and rebuke in everything you put your hand to, until you are destroyed and come to sudden ruin because of the evil you have done in forsaking him.

21 여호와께서 네 몸에 염병이 들게 하사 네가 들어가 차지할 땅에서 마침내 너를 멸하실 것이며

21 The LORD will plague you with diseases until he has destroyed you from the land you are entering to possess.

22 여호와께서 폐병과 열병과 염증과 학질과 한재와 풍재와 썩는 재앙으로 너를 치시리니 이 재앙들이 너를 따라서 너를 진멸하게 할 것이라

22 The LORD will strike you with wasting disease, with fever and inflammation, with scorching heat and drought, with blight and mildew, which will plague you until you perish.

23 네 머리 위의 하늘은 놋이 되고 네 아래의 땅은 철이 될 것이며

23 The sky over your head will be bronze, the ground beneath you iron.

24 여호와께서 비 대신에 티끌과 모래를 네 땅에 내리시리니 그것들이 하늘에서 네 위에 내려 마침내 너를 멸하리라

24 The LORD will turn the rain of your country into dust and powder; it will come down from the skies until you are destroyed.

오늘의 말씀 요약

하나님 말씀에 불순종하면 모든 저주가 임할 것입니다. 그러한 백성은 성읍에서든 들에서든 저주받고, 광주리든 떡 반죽 그릇이든 자녀든 토지든 소·양의 새끼든 저주받을 것입니다. 모든 일에 저주와 혼란과 책망이 임하고 각종 질병이 치며, 하늘과 땅이 놋과 철이 되어 마침내 백성을 멸할 것입니다.

한재(22절) 매우 극심한 가뭄을 의미한다.

풍재(22절) 건조한 바람(열풍)으로 인한 농작물 피해를 가리킨다.

불순종에 따르는 저주
28:15~19

말씀에 불순종하면 피할 수 없는 재앙이 임합니다. 28장 3~6절의 축복 내용과 마찬가지로 15~19절의 저주 내용은 뒤에 이어지는 많은 저주를 개괄해 보여 줍니다. 불순종하면 순종하는 백성에게 약속하신 복과 정반대의 저주가 고스란히 임합니다. 불순종하는 백성에게 닥칠 무서운 저주는 장소를 가리지 않습니다. 그들은 성읍과 들, 곧 가정과 일터에서 저주받습니다. 대를 이을 자녀는 끊어지고 농작물과 가축도 저주받아 식탁에서 고기와 우유가 사라집니다. 저주가 끈질기게 추적하니 불순종하는 사람은 '들어와도 나가도' 저주를 받게 됩니다. 말씀에 불순종하는 자가 머무는 곳마다 하나님의 저주가 따릅니다. 성도는 저주와 죽음으로 이끄는 불순종이 아닌 축복과 생명을 주는 순종을 선택해야 합니다.

하나님이 주신 명령과 규례를 어기면 어떤 저주가 임하나요? 불순종의 길에서 순종의 길로 속히 돌이켜야 할 일은 무엇인가요?

불순종에 따르는 재앙과 흉년
28:20~24

불순종이 저주를 불러오는 이유는 하나님 은혜를 상실하기 때문입니다. 하나님을 잊은 백성은 저주와 혼란과 책망 가운데 무서운 병에 걸려 망할 것입니다. 각종 질병과 천재지변은 출애굽 당시 불순종하던 바로와 그의 백성에게 내려진 재앙들과 비슷합니다. 젖과 꿀이 흐르는 약속의 땅도 이스라엘의 불순종으로 인해 저주를 받습니다. 하나님 은혜의 상징인 '비' 대신 티끌과 모래가 내립니다. 하늘은 놋이 되고 땅은 철이 된다는 표현(23절)은 가뭄에 대한 생생한 비유입니다. 대지에 모래바람이 일고 먼지가 휘날리는 극한 가뭄으로 아무런 수확을 하지 못합니다. 불순종으로 은혜가 사라진 곳마다 생명이 움트지 못하는 메마른 땅이 됩니다.

하나님을 잊은 백성에게 어떠한 저주가 임하나요? 파멸을 경고하시는 하나님의 본심은 무엇일까요?

| 오늘의 기도 | 하나님께 불순종하면 가슴 벅찬 복이 참혹한 저주로 바뀐다는 경고를 기억하게 하소서. 하나님을 잊어버려 혼란과 책망 가운데 헤매지 않도록 도우소서. 제 입술과 행실이 순종을 성실히 배워 가정과 일터, 교회와 사회에 마르지 않는 축복의 통로가 되게 하소서. |

낮아짐의 은혜

내가
왕바리새인입니다/
허운석

나는 아마존 정글에 예배당과 건물을 합쳐 17개 동 규모의 학교를 세웠습니다. 순전히 하나님의 일을 한 것으로 생각해 기고만장했습니다. 내가 일해 드릴 테니 하나님은 가만히 계시라며 불순종했습니다. 하지만 말기 암 진단을 받고 지난날의 죄를 낱낱이 회개하고 보니, 학교 건물을 짓고 가시적인 성과가 나타날수록 사람들에게는 인정받았지만, 하나님께는 인정받지 못했음을 깨달았습니다.

이렇듯 자랑하고 과시하는 데 빠진 나를 건질 방법은 하나님이 주시는 징계밖에 없었습니다. 병에 걸리자 나는 순식간에 멸시와 모욕을 받는 낮은 자리로 추락했습니다. 그런데 이렇게 낮아지는 것이 사는 길입니다. 생명을 얻는 길입니다. 질병의 고통과 사람들의 따가운 시선으로 인해 내가 겸손해지고 온유해지는 것, 이것이 성령의 역사입니다.

돌아보면 하나님이 내게 보상으로 주신 것이 주로 멸시와 천대, 낮아짐이었습니다. 이렇듯 하나님의 방법은 사람의 방법과 다릅니다. 그 지혜로우심이, 우리를 향한 사랑이 말로 다 할 수 없습니다. 하나님을 아는 사람에게는 모든 것이 하나님의 역사로 이해됩니다. 하나님 앞에서 회개의 눈물을 흘릴 때 빛의 역사가 시작됩니다. _ 두란노

한절 묵상

불순종은 우리를
하나님 뜻 안에
머물지 못하게 해서
종국에는 모든 것을
잃어버리게 만든다.
– 무명

신명기 28장 15절 | 하나님 말씀에 순종할 때 받는 축복은 열네 절에 걸쳐 언급되는 데 비해, 불순종할 때 받는 저주는 자그마치 쉰네 절에 걸쳐 언급됩니다. 이는 하나님 말씀을 거역할 때 치러야 할 대가가 매우 크다는 것을 경고하기 위함입니다. 저주의 끔찍함을 분명히 알려 백성이 죄의 길을 걷지 않게 하려는 것입니다. 하나님께 등 돌리는 순간 모든 것이 무너지고 맙니다. 성도는 몸과 마음을 다해 말씀 순종의 길로만 나아가야 합니다. 김상복/「행복은 선택이다」

06 · 패배와 불행이 그치는 길은 말씀 순종뿐입니다

신명기 28:25~35

25 여호와께서 네 적군 앞에서 너를 패하게 하시리니 네가 그들을 치러 한길로 나가서 그들 앞에서 일곱 길로 도망할 것이며 네가 또 땅의 모든 나라 중에 흩어지고

25 The LORD will cause you to be defeated before your enemies. You will come at them from one direction but flee from them in seven, and you will become a thing of horror to all the kingdoms on earth.

26 네 시체가 공중의 모든 새와 땅의 짐승들의 밥이 될 것이나 그것들을 쫓아 줄 자가 없을 것이며

26 Your carcasses will be food for all the birds and the wild animals, and there will be no one to frighten them away.

27 여호와께서 애굽의 종기와 치질과 괴혈병과 피부병으로 너를 치시리니 네가 치유받지 못할 것이며

27 The LORD will afflict you with the boils of Egypt and with tumors, festering sores and the itch, from which you cannot be cured.

28 여호와께서 또 너를 미치는 것과 눈머는 것과 정신병으로 치시리니 29 맹인이 어두운 데에서 더듬는 것과 같이 네가 백주에도 더듬고 네 길이 형통하지 못하여 항상 압제와 노략을 당할 뿐이리니 너를 구원할 자가 없을 것이며

28 The LORD will afflict you with madness, blindness and confusion of mind. 29 At midday you will grope about like a blind person in the dark. You will be unsuccessful in everything you do; day after day you will be oppressed and robbed, with no one to rescue you.

30 네가 여자와 약혼하였으나 다른 사람이 그 여자와 같이 동침할 것이요 집을 건축하였으나 거기에 거주하지 못할 것이요 포도원을 심었으나 네가 그 열매를 따지 못할 것이며

오늘의 찬송 (새 273 통 331 나 주를 멀리 떠났다)

(경배와 찬양) 나의 만족과 유익을 위해 가지려 했던 세상 일들 이젠 모두 다 해로 여기고 주님을 위해 다 버리네 내 안에 가장 귀한 것 주님을 앎이라 모든 것 되시며 의와 기쁨 되신 주 사랑합니다 (나의 주)

---

30 You will be pledged to be married to a woman, but another will take her and rape her. You will build a house, but you will not live in it. You will plant a vineyard, but you will not even begin to enjoy its fruit.

31 네 소를 네 목전에서 잡았으나 네가 먹지 못할 것이며 네 나귀를 네 목전에서 빼앗겨도 도로 찾지 못할 것이며 네 양을 원수에게 빼앗길 것이나 너를 도와줄 자가 없을 것이며 32 네 자녀를 다른 민족에게 빼앗기고 종일 생각하고 찾음으로 눈이 피곤하여지나 네 손에 힘이 없을 것이며

31 Your ox will be slaughtered before your eyes, but you will eat none of it. Your donkey will be forcibly taken from you and will not be returned. Your sheep will be given to your enemies, and no one will rescue them. 32 Your sons and daughters will be given to another nation, and you will wear out your eyes watching for them day after day, powerless to lift a hand.

33 네 토지소산과 네 수고로 얻은 것을 네가 알지 못하는 민족이 먹겠고 너는 항상 압제와 학대를 받을 뿐이리니

33 A people that you do not know will eat what your land and labor produce, and you will have nothing but cruel oppression all your days.

34 이러므로 네 눈에 보이는 일로 말미암아 네가 미치리라

34 The sights you see will drive you mad.

35 여호와께서 네 무릎과 다리를 쳐서 고치지 못할 심한 종기를 생기게 하여 발바닥에서부터 정수리까지 이르게 하시리라

35 The LORD will afflict your knees and legs with painful boils that cannot be cured, spreading from the soles of your feet to the top of your head.

오늘의 말씀 요약

불순종한 백성은 적군 앞에서 패하고 몸과 정신에 발병하며, 항상 압제와 노략을 당할 것입니다. 약혼녀와 자녀, 토지소산과 자신이 수고한 모든 일의 열매를 다른 민족에게 빼앗기고, 항상 학대를 받을 것입니다. 그럼에도 그들을 도와줄 자와 구원할 자가 없을 것입니다.

패배와 질병, 그리고 공포
28:25~29

하나님을 떠나 불순종하면 두렵고 참담한 삶을 살게 됩니다. 어느 민족도 만군의 하나님 여호와의 말씀을 청종하는 이스라엘을 이길 수 없습니다(28:7). 하지만 하나님 말씀을 거역하고 불순종하면 대적들과의 전쟁에서 패해 약속의 땅을 잃어버리고 흩어질 것입니다. 패배보다 더욱 뼈아픈 것은 이스라엘 용사들의 시체가 짐승의 밥이 되는 수치를 당하는 것입니다. 전쟁으로 인해 생긴 각종 괴질과 질병이 백성 가운데 퍼져 고통당해도 손쓸 방법이 없습니다. 이 모든 저주와 고통으로 인해 이스라엘은 미친 사람처럼 넋이 나가 대낮에도 노략당하는 신세가 됩니다. 말씀을 떠난 언약 백성은 한시도 평화롭게 살 수 없습니다. 이 땅에서 평화와 만족을 누리는 유일한 길은 하나님 말씀에 대한 온전한 순종입니다.

불순종한 이스라엘은 전쟁에서 어떤 결과를 맞게 되나요? 수치와 패배가 아닌 영광과 승리의 삶을 위해 내가 끊어야 할 불순종의 습관은 무엇인가요?

불순종에 따르는 약탈과 압제
28:30~35

하나님 없는 열심과 수고는 모두 허사로 돌아갑니다. 불순종으로 패배한 이스라엘은 대적들에게 모든 것을 약탈당합니다. 약혼한 남자는 신부를 빼앗기고, 애써 지은 집과 포도원도 적의 손에 넘어갑니다. 흥미롭게도 이는 모두 하나님이 병역의 의무에서 자유롭게 해 주신 사례에 해당합니다(20:5~7). 하나님은 이스라엘에게 주셨던 모든 특권을 거두어 대적들이 그 혜택을 누리게 하십니다. 가축과 땅의 소산, 심지어 자녀를 빼앗기지만 그들을 돕는 손길은 어디에도 없습니다. 눈앞에 펼쳐진 견딜 수 없는 고통으로 인해 이스라엘은 넋을 잃고 머리끝부터 발끝까지 성한 곳 없는 처참한 모습이 될 것입니다. 불순종은 누리던 모든 것을 잃어버리게 합니다.

불순종한 이스라엘은 대적에게 무엇을 빼앗기나요? 하나님 말씀에 온전히 순종하지 못하도록 방해하는 요인이 있다면 무엇인가요?

| 오늘의 기도 | 주님 아니시면 저를 구원할 이가 없으며, 주님이 함께하시지 않으면 제 모든 수고가 헛됨을 고백합니다. 거룩한 백성의 길을 가로막는 죄의 유혹을 떨쳐 버리고, 저를 고치시고 도우시며 마침내 승리하게 하실 주님만을 신실히 붙들게 하소서. |

나는 하나님의 성품을 믿는다

하나님의 광야 학교/
고영완

하나님을 인정함은 하나님의 행하심을 인정함이기도 하다. 하나님은 하나님이시다. 어떠한 상황에서도 그분은 유일한 하나님이시다. 나는 40일을 금식했지만, 나의 노력으로는 아내를 살릴 수 없었다. 아장아장 최고로 귀여웠을 아들마저 만 세 살에 천국에 갔다.

"장애가 있는 자녀를 낳았습니다." "교회 부도가 났습니다." "내 자녀가 죽었습니다." 이처럼 우리 주변에 납득하기 어려운 일들이 일어나기도 한다. 하지만 어느 것도 하나님의 섭리에서 벗어나는 일은 없다. 그 모든 일에도 불구하고 하나님은 사랑이시며, 인애가 넘치는 분이시다. 하나님이 전지전능하심에도 그런 일이 벌어졌다면, 그것은 하나님이 내게 주시는 또 다른 사랑이다. 하나님은 절대 실수하지 않으신다. 그러므로 그분이 하시는 모든 일을 인정해야 한다.

사랑하는 아내와 아들을 데려가셨지만, 그렇다고 하나님이 나를 향한 사랑과 인애를 포기하신 것은 아니다. 고난을 겪고서도 위대하신 하나님의 사랑과 인애, 신실하심을 찬양할 수 있다. 이 땅에서 나는 온전히 이해할 수 없지만, 그분은 전지하시다. 하나님 나라가 완성되고 모든 것이 밝히 드러날 때가 반드시 온다. 그때까지 하나님을 향한 믿음을 잘 지킨다면 우리는 원망과 불평 대신 감사와 평안을 선택할 수 있다. 나는 하나님이 하신 일과 선하신 그분의 성품을 믿는다. _ 예수전도단

한절 묵상

죄를 멈추지 않으면 그 죄가 하나님이 사랑으로 창조하신 세상과 삶을 계속해서 파괴할 것이다.
– 벤 패터슨

신명기 28장 30~31절 | 사람은 동물과 달리 미래를 준비하고 바라는 소망의 존재입니다. 하지만 창조주 하나님, 구속의 하나님을 버리고 말씀에 순종하지 않을 때 그분은 보응의 하나님이 되셔서 죄를 범한 사람의 미래에서 소망을 거두어 가십니다. 내 생각과 욕심으로 하는 일은 아무리 애써도 남는 것이 없습니다. 성도는 모래성을 쌓는 것 같은 불순종의 열심을 버리고 하나님 말씀을 듣고 지켜 순종의 열매를 맺어야 합니다. 최규철/「신명기 연구」

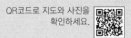

가나안 언약, 그리심산과 에발산

이스라엘 땅을 '단에서 브엘세바까지'라고도 하는데 단과 브엘세바의 중간이 세겜이다. 세겜 남쪽에 그리심산이, 북쪽에 에발산이 있다. 모세는 가나안에 들어가면 반드시 가야 할 곳으로 그리심산(해발 881m)과 에발산(해발 940m)을 지명했다(신 11:29; 27:4~13). 특히 신명기 27장은 열두 가지 언약 내용을 자세히 언급한다(27:15~26).

오늘날 두 산에는 모세의 명령을 행한 흔적이 남아 있다. 모세는 요단을 건넌 후 에발산에 제단을 쌓을 때 다듬지 않은 돌로 쌓으라고 지시했다(27:6). 여호수아 때 세운 제단이 에발산 중턱에서 발견되었는데, 다듬지 않은 돌 제단과 더불어 희생 제사에 바쳐진 동물의 것으로 보이는 3천여 점의 뼈가 나왔다. 고고학자 아담 제르탈은 탐사를 시작한 1980년부터 2004년까지 불굴의 의지로 발굴해, 에발산 제단이 여호수아 시대부터 기드온의 아들 아비멜렉 시대에 이르기까지 사용되었음을 밝혔다.

그리심산에서는 축복이 선포되어서인지 신전이 두 개나 발견되었다. 정상 제벨 엣 투르에 있는 사마리아인 성전과, 정상에서 북쪽으로 내려가는 길에 솟아오른 텔 엘라스에 있는 헬라 시대의 신전이다. 텔 엘라스 신전은 동전에도 새겨질 정도로 수려한 신전이다. 사마리아인 성전은 느헤미야 시대에 사마리아인의 수장 산발랏 가문이 세운 신전이다. 혼합 신앙을 가진 사마리아인이 성전 재건을 같이하겠다고 제안하자 스룹바벨과 예수아는 단호히 거절했다(스 4:2~3). 이에 사마리아인은 그리심산에 자체적으로 성전을 건축했다. 산발랏 가문이 세운 성전은 이즈학 마겐이 20년 넘게 발굴한 끝에 발견되었다. 그리심산 유적지에 오르다 보면 사마리아인이 수천 년간 그들 혈통을 이어 오며 유월절 제사를 지내는 장소가 나온다. 유월절에 동물 제사를 드리는 곳은 지구상에서 그리심산의 사마리아인 마을이 유일하다. 사마리아인 성전 자리에는 비잔틴 시대에 팔각형 교회가 세워져 있었기에 사람들이 바닥까지 파헤쳐 유적을 찾았다. 거기서 에스겔서의 성전 설계(겔 40장)와 같은 사마리아인 성전 구조가 발견되었고, 고대 히브리어와 헬라어로 된 성전 표시 비문과 수많은 짐승 뼈가 발견되었다.

여호수아는 그리심산과 에발산에 이스라엘인·본토인·이방인을 모아 놓고 축복과 저주를 선포하며 새 언약을 세웠다. 두 산은 시내산 언약에 함께하지 못한 출애굽 2세대와 화친한 가나안 사람들이 말씀으로 하나 되는 새 언약의 장소였다.

이문범 | 사랑누리교회 담임 목사. 「역사 지리로 보는 성경」 저자

첫째 주

내가 오늘 네게 명령한 이 명령은 네게 어려운 것도 아니요 먼 것도 아니라
…오직 그 말씀이 네게 매우 가까워서 네 입에 있으며 네 마음에 있은즉
네가 이를 행할 수 있느니라(신 30:11, 14).

07 · 기쁘게 순종하지 않으면 계속해서 낮아집니다

신명기 28:36~57

36 여호와께서 너와 네가 세울 네 임금을 너와 네 조상들이 알지 못하던 나라로 끌어가시리니 네가 거기서 목석으로 만든 다른 신들을 섬길 것이며

36 The LORD will drive you and the king you set over you to a nation unknown to you or your ancestors. There you will worship other gods, gods of wood and stone.

37 여호와께서 너를 끌어가시는 모든 민족 중에서 네가 놀람과 속담과 비방거리가 될 것이라

37 You will become a thing of horror, a byword and an object of ridicule among all the peoples where the LORD will drive you.

38 네가 많은 종자를 들에 뿌릴지라도 메뚜기가 먹으므로 거둘 것이 적을 것이며

38 You will sow much seed in the field but you will harvest little, because locusts will devour it.

39 네가 포도원을 심고 가꿀지라도 벌레가 먹으므로 포도를 따지 못하고 포도주를 마시지 못할 것이며

39 You will plant vineyards and cultivate them but you will not drink the wine or gather the grapes, because worms will eat them.

40 네 모든 경내에 감람나무가 있을지라도 그 열매가 떨어지므로 그 기름을 네 몸에 바르지 못할 것이며

40 You will have olive trees throughout your country but you will not use the oil, because the olives will drop off.

41 네가 자녀를 낳을지라도 그들이 포로가 되므로 너와 함께 있지 못할 것이며

41 You will have sons and daughters but you will not keep them, because they will go into captivity.

오늘의 찬송 (새 295 통 417 큰 죄에 빠진 나를)

큰 죄에 빠진 나를 주 예수 건지사 그 넓은 품에 다시 품으신 은혜는 저 바다보
다 깊고 저 하늘보다 높다 그 사랑 영원토록 나 찬송하리라 날로 더욱 귀하다
날로 더욱 귀하다 한이 없이 넓은 우리 주의 사랑 날로 더욱 귀하다

---

42 네 모든 나무와 토지소산은 메뚜기가 먹을 것이며

42 Swarms of locusts will take over all your trees and the crops of your land.

43 너의 중에 우거하는 이방인은 점점 높아져서 네 위에
뛰어나고 너는 점점 낮아질 것이며

43 The foreigners who reside among you will rise above you higher and higher,
but you will sink lower and lower.

44 그는 네게 꾸어 줄지라도 너는 그에게 꾸어 주지 못하
리니 그는 머리가 되고 너는 꼬리가 될 것이라

44 They will lend to you, but you will not lend to them. They will be the head,
but you will be the tail.

45 네가 네 하나님 여호와의 말씀을 청종하지 아니하고
네게 명령하신 그의 명령과 규례를 지키지 아니하므로
이 모든 저주가 네게 와서 너를 따르고 네게 이르러 마침
내 너를 멸하리니

45 All these curses will come on you. They will pursue you and overtake you
until you are destroyed, because you did not obey the LORD your God and
observe the commands and decrees he gave you.

46 이 모든 저주가 너와 네 자손에게 영원히 있어서 표징
과 훈계가 되리라

46 They will be a sign and a wonder to you and your descendants forever.

47 네가 모든 것이 풍족하여도 기쁨과 즐거운 마음으로
네 하나님 여호와를 섬기지 아니함으로 말미암아

47 Because you did not serve the LORD your God joyfully and gladly in the
time of prosperity,

(뒷면으로 이어집니다)

48 네가 주리고 목마르고 헐벗고 모든 것이 부족한 중에서 여호와께서 보내사 너를 치게 하실 적군을 섬기게 될 것이니 그가 철 멍에를 네 목에 메워 마침내 너를 멸할 것이라

48 therefore in hunger and thirst, in nakedness and dire poverty, you will serve the enemies the LORD sends against you. He will put an iron yoke on your neck until he has destroyed you.

49 곧 여호와께서 멀리 땅끝에서 한 민족을 독수리가 날아오는 것같이 너를 치러 오게 하시리니 이는 네가 그 언어를 알지 못하는 민족이요

49 The LORD will bring a nation against you from far away, from the ends of the earth, like an eagle swooping down, a nation whose language you will not understand,

50 그 용모가 흉악한 민족이라 노인을 보살피지 아니하며 유아를 불쌍히 여기지 아니하며

50 a fierce-looking nation without respect for the old or pity for the young.

51 네 가축의 새끼와 네 토지의 소산을 먹어 마침내 너를 멸망시키며 또 곡식이나 포도주나 기름이나 소의 새끼나 양의 새끼를 너를 위하여 남기지 아니하고 마침내 너를 멸절시키리라

51 They will devour the young of your livestock and the crops of your land until you are destroyed. They will leave you no grain, new wine or olive oil, nor any calves of your herds or lambs of your flocks until you are ruined.

52 그들이 전국에서 네 모든 성읍을 에워싸고 네가 의뢰하는 높고 견고한 성벽을 다 헐며 네 하나님 여호와께서 네게 주시는 땅의 모든 성읍에서 너를 에워싸리니

52 They will lay siege to all the cities throughout your land until the high fortified walls in which you trust fall down. They will besiege all the cities throughout the land the LORD your God is giving you.

53 네가 적군에게 에워싸이고 맹렬한 공격을 받아 곤란을 당하므로 네 하나님 여호와께서 네게 주신 자녀 곧 네 몸의 소생의 살을 먹을 것이라

53 Because of the suffering your enemy will inflict on you during the siege, you will eat the fruit of the womb, the flesh of the sons and daughters the LORD your God has given you.

54 너희 중에 온유하고 연약한 남자까지도 그의 형제와 그의 품의 아내와 그의 남은 자녀를 미운 눈으로 바라보며

54 Even the most gentle and sensitive man among you will have no compassion on his own brother or the wife he loves or his surviving children,

55 자기가 먹는 그 자녀의 살을 그중 누구에게든지 주지 아니하리니 이는 네 적군이 네 모든 성읍을 에워싸고 맹렬히 너를 쳐서 곤란하게 하므로 아무것도 그에게 남음이 없는 까닭일 것이며

55 and he will not give to one of them any of the flesh of his children that he is eating. It will be all he has left because of the suffering your enemy will inflict on you during the siege of all your cities.

56 또 너희 중에 온유하고 연약한 부녀 곧 온유하고 연약하여 자기 발바닥으로 땅을 밟아 보지도 아니하던 자라도 자기 품의 남편과 자기 자녀를 미운 눈으로 바라보며

56 The most gentle and sensitive woman among you—so sensitive and gentle that she would not venture to touch the ground with the sole of her foot—will begrudge the husband she loves and her own son or daughter

57 자기 다리 사이에서 나온 태와 자기가 낳은 어린 자식을 남몰래 먹으리니 이는 네 적군이 네 생명을 에워싸고 맹렬히 쳐서 곤란하게 하므로 아무것도 얻지 못함이리라

57 the afterbirth from her womb and the children she bears. For in her dire need she intends to eat them secretly because of the suffering your enemy will inflict on you during the siege of your cities.

오늘의 말씀 요약

하나님 말씀에 불순종하면 왕이 타국에 끌려가 비방거리가 됩니다. 수확이 없고 자녀가 포로 되며, 이방인 앞에서 점점 낮아집니다. 풍족할 때 하나님을 기쁘게 섬기지 않으니 주리고 헐벗은 와중에 적군이 와서 칠 것입니다. 이 저주는 이스라엘과 자손에게 영원히 있을 표징과 훈계입니다.

세상의 놀림감이 된 언약 백성
28:36~57

하나님 없는 인생이 가장 비참하고 불행합니다. 하나님을 거부하고 말씀에 불순종한 이스라엘은 이방 땅에 끌려가 목석으로 만든 우상을 섬길 것입니다. 열방의 두려움이었던 이스라엘은 다른 민족의 놀림감이 되고 세상의 머리가 아닌 꼬리로 전락할 것입니다. 논밭은 메뚜기와 벌레가 창궐해 황무지로 변하고 삶의 기쁨이요 미래의 소망인 자녀는 대적들의 포로가 될 것입니다. 이스라엘은 약속의 땅에서 풍요를 누리면서도 하나님 은혜를 잊었습니다. 그 결과 '철 멍에'에 매이는 신세가 됩니다. 이스라엘은 적군에게 에워싸여 배고픔으로 자녀를 먹는 비극까지 겪을 것입니다. 이 모든 저주는 하나님의 명령과 규례를 지키지 않았기 때문입니다. 불순종하는 자가 당할 저주는 참담합니다. 그러나 하나님 말씀에 순종하는 자에게는 안전과 평안, 번영과 형통이 약속되어 있습니다.

이스라엘이 하나님보다 더 믿고 의지할 것은 무엇이었나요? 내가 하나님보다 더 믿고 의지하는 것은 무엇이며, 그것을 어떻게 내려놓을 수 있을까요?

🏠 주일 가족 QT 나눔

- ▶ **마음 모으기**
  찬양과 기도로 시작하기

- ▶ **마음 열기**
  한 주간 하나님이 내게 행하신 일(은혜) 나누기

- ▶ **가족 QT 나누기**
  '관찰, 적용과 나눔' 질문 활용하기

- ▶ **하나님 성품 닮아 가기**
  닮아 갈 하나님(성부, 성자, 성령) 의 성품을 기록하고 나누기

- ▶ **함께 기도하기**
  한 주간 가족이 함께 기도할 기도 제목을 정하고 기도하기

- ▶ **주기도문으로 마치기**

1 **관찰** 불순종한 이스라엘의 나무 열매와 토지소산은 누구의 먹이가 되나요?(28:38~40, 42)

적용과 나눔 불순종으로 인해 하나님의 징계를 받은 적이 있다면 나누어 보세요. 우리 가족 모두가 불순종의 죄를 짓지 않도록 함께 기도하세요.

2 **관찰** 약속의 땅에서 풍요로움을 누리던 이스라엘이 하나님께 징계를 받게 되는 이유는 무엇인가요?(28:47~48)

적용과 나눔 하나님 없는 인생은 비참합니다. 풍성한 은혜를 주시는 하나님을 기쁘게 섬기기 위해 우리 가족이 결단할 것은 무엇인지 나누어 보세요.

설교 노트

제목 : _____

본문 : _____

내용 :

기도 제목

국내

우리나라 존속 살해율은 전체 살해 사건의 약 6%로, 다른 선진국의 3배 이상이다. 상해, 감금 등 폭력 범죄도 매년 2,000건가량 발생한다. 존속 범죄의 발생 요인은 복합적이나, 가정과 사회가 개인의 안식처가 못 된다는 방증이기도 하다. 사회 안전망이 잘 구축되고 주님의 사랑으로 가정이 화목해지길 기도하자.

국외

과거 아프리카의 곡창 지대로 알려졌던 짐바브웨가 정부의 무능, 경제 붕괴, 가뭄 등으로 기아 위기에 봉착했다. 인구의 약 60%가 음식을 충분히 섭취하지 못하는 실정이며, 특히 어린이들의 영양실조가 심각하다. 주님의 능력과 긍휼로 짐바브웨가 회복되어 그 땅의 모든 영혼이 배고픔에서 벗어나길 간구하자.

08 · 경외함을 저버리면 평안도 멀어집니다

신명기 28:58~68

58 네가 만일 이 책에 기록한 이 율법의 모든 말씀을 지켜 행하지 아니하고 네 하나님 여호와라 하는 영화롭고 두려운 이름을 경외하지 아니하면 59 여호와께서 네 재앙과 네 자손의 재앙을 극렬하게 하시리니 그 재앙이 크고 오래고 그 질병이 중하고 오랠 것이라

58 If you do not carefully follow all the words of this law, which are written in this book, and do not revere this glorious and awesome name—the LORD your God— 59 the LORD will send fearful plagues on you and your descendants, harsh and prolonged disasters, and severe and lingering illnesses.

60 여호와께서 네가 두려워하던 애굽의 모든 질병을 네게로 가져다가 네 몸에 들어붙게 하실 것이며 61 또 이 율법책에 기록하지 아니한 모든 질병과 모든 재앙을 네가 멸망하기까지 여호와께서 네게 내리실 것이니 62 너희가 하늘의 별같이 많을지라도 네 하나님 여호와의 말씀을 청종하지 아니하므로 남는 자가 얼마 되지 못할 것이라

60 He will bring on you all the diseases of Egypt that you dreaded, and they will cling to you. 61 The LORD will also bring on you every kind of sickness and disaster not recorded in this Book of the Law, until you are destroyed. 62 You who were as numerous as the stars in the sky will be left but few in number, because you did not obey the LORD your God.

63 여호와께서 너희에게 선을 행하시고 너희를 번성하게 하시기를 기뻐하시던 것같이 이제는 여호와께서 너희를 망하게 하시며 멸하시기를 기뻐하시리니 너희가 들어가 차지할 땅에서 뽑힐 것이요

63 Just as it pleased the LORD to make you prosper and increase in number, so it will please him to ruin and destroy you. You will be uprooted from the land you are entering to possess.

64 여호와께서 너를 땅 이 끝에서 저 끝까지 만민 중에 흩으시리니 네가 그곳에서 너와 네 조상들이 알지 못하던 목석 우상을 섬길 것이라

64 Then the LORD will scatter you among all nations, from one end of the earth to the other. There you will worship other gods—gods of wood and stone, which neither you nor your ancestors have known.

오늘의 찬송 (새 278 통 336 여러 해 동안 주 떠나)

(경배와 찬양) 나의 마음을 정금과 같이 정결케 하소서 나의 마음을 정금과 같이 하소서 내 영혼에 한 소망 있으니 주님과 같이 거룩하게 하소서 나의 삶을 드리니 거룩하게 하소서 오 주님 나를 받으소서 나를 받으소서

---

65 그 여러 민족 중에서 네가 평안함을 얻지 못하며 네 발바닥이 쉴 곳도 얻지 못하고 여호와께서 거기에서 네 마음을 떨게 하고 눈을 쇠하게 하고 정신을 산란하게 하시리니

65 Among those nations you will find no repose, no resting place for the sole of your foot. There the LORD will give you an anxious mind, eyes weary with longing, and a despairing heart.

66 네 생명이 위험에 처하고 주야로 두려워하며 네 생명을 확신할 수 없을 것이라

66 You will live in constant suspense, filled with dread both night and day, never sure of your life.

67 네 마음의 두려움과 눈이 보는 것으로 말미암아 아침에는 이르기를 아하 저녁이 되었으면 좋겠다 할 것이요 저녁에는 이르기를 아하 아침이 되었으면 좋겠다 하리라

67 In the morning you will say, "If only it were evening!" and in the evening, "If only it were morning!"—because of the terror that will fill your hearts and the sights that your eyes will see.

68 여호와께서 너를 배에 싣고 전에 네게 말씀하여 이르시기를 네가 다시는 그 길을 보지 아니하리라 하시던 그 길로 너를 애굽으로 끌어가실 것이라 거기서 너희가 너희 몸을 적군에게 남녀종으로 팔려 하나 너희를 살 자가 없으리라

68 The LORD will send you back in ships to Egypt on a journey I said you should never make again. There you will offer yourselves for sale to your enemies as male and female slaves, but no one will buy you.

오늘의 말씀 요약

율법을 지키지 않으면 이스라엘과 자손에게 극렬한 재앙이 임할 것입니다. 모든 질병이 들러붙어 그들이 하늘의 별과 같을지라도 남는 자가 얼마 없을 것이며, 그들이 차지했던 땅에서 뽑혀 만민 중에 흩어질 것입니다. 생명이 위험에 처해 주야로 두려워할 것이며, 다시 애굽의 종이 될 것입니다.

멈추지 않을 재앙과 질병
28:58~62

하나님을 경외하지 않는 인생에는 재앙이 끊이지 않습니다. 하나님의 모든 말씀을 지키지 않고 하나님의 영광스럽고 두려운 이름을 경외하지 않으면, 진노의 재앙을 피할 수 없습니다. 앞서 선포된 모든 재앙뿐 아니라 이스라엘이 두려워하던 애굽의 모든 질병이 그들을 덮칠 것이며, 그 재앙과 질병이 극렬하게 오래 지속될 것입니다. 순종의 열매는 하늘의 별과 바다의 모래 같은 자손의 번성이었습니다. 그러나 불순종은 그들이 멸망해 소수의 사람만 살아남게 합니다. 하나님을 경외하지 않음은 땅·번성·번영·승리·장수 등 모든 약속의 선물을 잃게 합니다. 하나님의 이름을 높이며 말씀에 즐거이 순종할 때 은혜로 주신 복을 오래도록 누립니다.

하늘의 별과 같이 많았던 이스라엘이 소수만 남게 되는 이유는 무엇인가요? 하나님을 경외하지 않고 말씀에 불순종하기를 반복하면 결국 어떻게 될까요?

안식 없는 노예 생활
28:63~68

하나님 없는 인생에는 평안과 안식이 없습니다. 하나님을 떠난 이스라엘은 뿌리째 뽑힌 나무처럼 약속의 땅에서 뽑혀 나갈 것입니다. 불순종과 죄악으로 땅을 더럽히면 결국 땅이 그들을 토해 냅니다(레 18:25, 28). 이스라엘은 적들에게 포로로 끌려가 여러 민족 사이로 흩어질 것입니다. 낯선 땅에서 알지 못하는 우상들을 섬기며 잠시도 마음의 안정을 찾지 못할 것입니다. '안식'은 약속의 땅에서 누릴 약속된 복입니다. 하나님 말씀을 떠나면 안식과는 멀어지고 불안과 두려움으로 하루하루 빨리 지나가길 바라는 지옥 같은 삶이 이어집니다. 하나님 말씀을 떠나 사는 이에게 행복한 미래란 없습니다. 현재의 복과 미래의 안녕은 순종으로 거룩한 삶을 살면서 자신이 머무는 자리를 거룩하게 만드는 사람에게 주어집니다.

이스라엘이 안식 없는 노예 상태로 되돌아가는 이유는 무엇인가요? 평안과 안식이 아닌 불안과 두려움이 가득하다면 그 이유는 무엇일까요?

오늘의 기도

제 안에서 평안이 깨어질 때 하나님을 경외하지 않은 결과가 아닌지 면밀히 살피게 하소서. 하나님으로부터 버려진 삶이 얼마나 비참한지 깨달아 그 품에서 떠나지 않게 하소서. 하나님 말씀을 주야로 묵상하고 따름으로 참된 안식을 누리게 하소서.

죄를 사르는 거룩한 불

**너 하나님의 사람아/
구자억**

내가 게스트로 초대받아 찬양을 했던 부흥 집회에서 강사 목사님이 엘리야 이야기로 설교를 하셨다. 엘리야는 아합왕이 이스라엘을 다스리던 때, 이스라엘 백성 대부분이 아합왕을 따라 하나님에게서 돌아선 때에 등장했다. 아합왕은 우상을 섬기는 이방 여인 이세벨과 결혼하는 죄를 범했고, 심지어 백성에게 우상 숭배를 강요하기까지 했다. 하나님은 이런 시대를 뒤집을 사람으로 엘리야를 준비하셨다. 엘리야는 아합왕을 만나 이스라엘의 가뭄을 예언했고, 예언은 실현되었다. 그럼에도 아합왕은 돌아서지 않았다. 엘리야는 우상을 섬기는 850명의 거짓 선지자와 대결했다. 엘리야가 기도하자 제단 위에 불이 내렸다.

하나님을 떠났던 이스라엘 백성은 엘리야가 보여 준 불을 보고 두려워하며 하나님을 인정했다. 그런 불이 오늘날에도 필요하다고 생각했다. 그 결단을 〈내가 불이 되리라〉라는 곡에 담았다. "내가 불이 되리라 세상을 사르는 불 온 세상이 알게 되리 야훼의 역사하심…온 세상이 알게 되리 야훼의 살아 계심…."

'트로트 찬양' 사역을 통해 세상과 하나님 사이에서 방향을 못 잡고 있거나 하나님을 등진 사람들에게 그분의 말씀이 전해지기를 바란다. 말씀의 역사가 불처럼 타오르기를 소망한다. 우리 안의 거짓과 불순종, 우상을 태우는 하나님의 거룩한 불로 우리 삶이 새로워지고 변화되는 큰 역사가 일어나기를 꿈꾼다. _규장

한절 묵상

성도는 그리스도께서
소유하신 무기인
절대 순종으로
무장해야 한다.

– 제시 펜 루이스

신명기 28장 58, 68절 | 하나님이 이스라엘에게 요구하신 것은 거창한 것이 아닙니다. 하나님 말씀에 귀 기울이고 순종하는 것입니다. 우상을 멀리하고 거룩한 백성의 삶을 사는 것입니다. 이것을 망각하고 하나님이 주신 자유를 불순종의 길을 가는 데 사용한다면, 그들을 기다리는 것은 안식 없는 노예의 삶입니다. 성도에게 주어진 자유는 순종할 때 누리는 조건부 자유입니다. 우리는 주어진 말씀의 울타리 안에 있을 때 안전합니다.   J. 울펜데일/「베이커 성경 주석 8 신명기」

09 · 과거를 기억하고 은혜를 간직하라

신명기 29:1~9

1 호렙에서 이스라엘 자손과 세우신 언약 외에 여호와께서 모세에게 명령하여 모압 땅에서 그들과 세우신 언약의 말씀은 이러하니라

1 These are the terms of the covenant the LORD commanded Moses to make with the Israelites in Moab, in addition to the covenant he had made with them at Horeb.

2 모세가 온 이스라엘을 소집하고 그들에게 이르되 여호와께서 애굽 땅에서 너희의 목전에 바로와 그의 모든 신하와 그의 온 땅에 행하신 모든 일을 너희가 보았나니

2 Moses summoned all the Israelites and said to them: Your eyes have seen all that the LORD did in Egypt to Pharaoh, to all his officials and to all his land.

3 곧 그 큰 시험과 이적과 큰 기사를 네 눈으로 보았느니라

3 With your own eyes you saw those great trials, those signs and great wonders.

4 그러나 깨닫는 마음과 보는 눈과 듣는 귀는 오늘까지 여호와께서 너희에게 주지 아니하셨느니라

4 But to this day the LORD has not given you a mind that understands or eyes that see or ears that hear.

5 주께서 사십 년 동안 너희를 광야에서 인도하셨거니와 너희 몸의 옷이 낡아지지 아니하였고 너희 발의 신이 해어지지 아니하였으며

오늘의 찬송 (새 445 통 502 태산을 넘어 험곡에 가도)

태산을 넘어 험곡에 가도 빛 가운데로 걸어가면 주께서 항상 지키시기로 약속한 말씀 변치 않네/ 캄캄한 밤에 다닐지라도 주께서 나의 길 되시고 나에게 밝은 빛이 되시니 길 잃어버릴 염려 없네/ (후렴) 하늘의 영광 하늘의 영광 나의 맘속에 차고도 넘쳐 할렐루야를 힘차게 불러 영원히 주를 찬양하리

5 Yet the LORD says, "During the forty years that I led you through the wilderness, your clothes did not wear out, nor did the sandals on your feet.

6 너희에게 떡도 먹지 못하며 포도주나 독주를 마시지 못하게 하셨음은 주는 너희의 하나님 여호와이신 줄을 알게 하려 하심이니라

6 You ate no bread and drank no wine or other fermented drink. I did this so that you might know that I am the LORD your God."

7 너희가 이곳에 올 때에 헤스본 왕 시혼과 바산 왕 옥이 우리와 싸우러 나왔으므로 우리가 그들을 치고

7 When you reached this place, Sihon king of Heshbon and Og king of Bashan came out to fight against us, but we defeated them.

8 그 땅을 차지하여 르우벤과 갓과 므낫세 반 지파에게 기업으로 주었나니

8 We took their land and gave it as an inheritance to the Reubenites, the Gadites and the half-tribe of Manasseh.

9 그런즉 너희는 이 언약의 말씀을 지켜 행하라 그리하면 너희가 하는 모든 일이 형통하리라

9 Carefully follow the terms of this covenant, so that you may prosper in everything you do.

오늘의 말씀 요약

이스라엘은 애굽에서 하나님의 큰 시험과 이적과 기사를 목도했습니다. 광야 생활 40년 동안 옷이 낡지도, 신이 해어지지 않는 은혜를 입었습니다. 헤스본과 바산의 왕들을 물리쳐 그 땅을 기업으로 얻었습니다. 이스라엘이 언약의 말씀을 지켜 행하면 그들이 하는 모든 일이 형통할 것입니다.

모압 언약 체결
29:1~4

하나님이 베푸신 은혜의 역사를 잊은 백성에게 미래는 없습니다. 하나님은 모압 땅에서 이스라엘과 언약을 세우십니다. 과거 호렙산(시내산)에서 이미 체결한 언약을 갱신하신 것은 약속의 땅 경계에 선 새로운 세대의 마음가짐을 바르고 굳게 할 필요가 있었기 때문입니다. 모세는 온 이스라엘을 소집하고 하나님이 그들을 구원하시기 위해 베푸신 일들을 상기시킵니다. 하지만 그들은 하나님이 능력으로 일으키신 큰 시험과 이적과 기사를 직접 목격하고도 광야 생활 내내 이 사실을 거듭 망각했습니다. 기적과 은혜 체험이 신앙 성장을 보장하지 않습니다. 중요한 것은 하나님의 능력을 망각하지 않고 말씀에 온전히 순종하는 것입니다.

이스라엘이 출애굽의 위대한 구원 역사를 경험하고도 이를 망각한 이유는 무엇인가요? 하나님의 구원 역사를 잊지 않는 사람의 믿음은 어떠할까요?

광야 생활과
요단 동쪽 점령
29:5~9

역사 속에서 하나님 은혜는 어떤 경우에도 중단되지 않고 흐릅니다. 이스라엘은 불순종으로 인해 40년간 광야를 떠돌면서도 하나님의 세심한 은혜를 경험했습니다. 하나님은 그들의 옷과 신발이 낡거나 해어지지 않게 하셨고, 그들에게 떡과 포도주 같은 땅의 양식이 아닌 하늘 만나를 먹이셨습니다. 이를 통해 이스라엘은 하나님 은혜만을 의지해 살아가는 훈련을 받았습니다. 오랜 광야 생활을 마치고 요단 동쪽에 도착한 이스라엘은 아모리 족속의 두 왕 시혼과 옥을 차례로 격파하고 그 땅을 점령했습니다. 모세는 이스라엘이 부정할 수 없는 역사적 진실과 하나님 은혜를 나열하며 언약의 말씀에 순종할 것을 권면합니다. 하나님 은혜를 기억하고 언약의 말씀을 지켜 행할 때 모든 일이 형통하게 되는 복을 누립니다.

이스라엘이 형통을 누리기 위한 조건은 무엇인가요? 하나님이 주시는 형통을 누리기 위해 나는 무엇을 해야 할까요?

오늘의 기도	저는 미련하여 다 헤아리지 못하나 지나온 인생길을 신실하게 호위해 주신 하나님의 은혜에 감사합니다. 하나님을 제 삶의 인도자로 모시고 말씀의 길로만 행하게 하소서. 약속의 나라에 이르기까지 매일 순종하는 자의 형통함을 뚜렷이 보게 하소서.

자녀에게 들려주어야 할 이야기

일상 순례자/
김기석

유대인들은 아빕월 열나흗날 해 질 무렵에 쓴 나물과 누룩 없는 빵을 함께 준비했다가 허리에 띠를 띠고, 발에 신을 신고, 손에 지팡이를 들고 서둘러서 음식을 먹었다. 아이들은 식사 전 아버지에게 "오늘 밤이 다른 날 밤들과 다른 까닭은 무엇입니까?"라고 묻고, 아버지는 유월절 이야기로 답하며 기억의 전달자 역할을 했다. 아이들은 유월절 식사 의식을 통해 자신들의 뿌리와 조상들의 고난과 범죄와 회복의 역사를 배운다.

그 이야기는 내 정체성의 일부기도 하다. 예수님을 믿는다는 것은, 그분으로부터 비롯된 생명의 이야기에 합류하는 것이다. 마음과 힘을 다하여 하나님 뜻을 받들 때 우리는 비로소 예수님 구원사의 일부가 된다.

당신은 자녀 세대에게 들려줄 신앙의 이야기를 갖고 있는가? 예수 믿었더니 모든 게 잘되더라는 이야기 말고, 예수를 제대로 믿기 위해 분투하고 고생하고 손해 본 이야기 말이다. 자녀의 교육 여건을 위해 애쓰면서도 우리의 신앙 이야기를 들려주지 않는다면, 그것은 매우 중요한 교육 기회를 상실하는 것이다. 기독교 교육이 출발해야 할 지점은 바로 여기다. 부모 세대가 살면서 느낀 기쁨과 슬픔, 공포와 희망, 그 속에서 경험한 하나님의 은총과 위로를 전해 주는 것이 그 시작이 되어야 한다. 사랑과 돌봄을 통해 이루어 가는 하나님 나라 이야기를 이제부터라도 만들고 전하며 살자. _ 두란노

한절 묵상

하나님의 인도하심은
확실한 언약에 근거한
신실한 돌보심이다.
– 제임스 패커

신명기 29장 3~4절 | 이스라엘 민족에게 광야 40년은 고난의 역사였습니다. 그러나 모세와 같은 위대한 지도자는 영적으로 무지한 백성이 그 난관을 통과하도록 하나님이 행하신 이적과 기사를 볼 수 있게 가르쳐 줍니다. 하나님의 일하심을 볼 수 있는 눈이 밝아지고, 그분 음성을 들을 귀가 열릴 때 바른 역사관을 가질 수 있습니다. 같은 사실에 대해서도 신앙으로 해석할 능력을 갖춘 사람이 지도자입니다. 김경행/「구약 강해 설교 대사전 신명기」

10 · 모든 사람의 하나님, 모든 세대에 주신 언약

신명기 29:10~21

10 오늘 너희 곧 너희의 수령과 너희의 지파와 너희의 장로들과 너희의 지도자와 이스라엘 모든 남자와 11 너희의 유아들과 너희의 아내와 및 네 진중에 있는 객과 너를 위하여 나무를 패는 자로부터 물 긷는 자까지 다 너희의 하나님 여호와 앞에 서 있는 것은

10 All of you are standing today in the presence of the LORD your God—your leaders and chief men, your elders and officials, and all the other men of Israel, 11 together with your children and your wives, and the foreigners living in your camps who chop your wood and carry your water.

12 네 하나님 여호와의 언약에 참여하며 또 네 하나님 여호와께서 오늘 네게 하시는 맹세에 참여하여 13 여호와께서 네게 말씀하신 대로 또 네 조상 아브라함과 이삭과 야곱에게 맹세하신 대로 오늘 너를 세워 자기 백성을 삼으시고 그는 친히 네 하나님이 되시려 함이니라

12 You are standing here in order to enter into a covenant with the LORD your God, a covenant the LORD is making with you this day and sealing with an oath, 13 to confirm you this day as his people, that he may be your God as he promised you and as he swore to your fathers, Abraham, Isaac and Jacob.

14 내가 이 언약과 맹세를 너희에게만 세우는 것이 아니라 15 오늘 우리 하나님 여호와 앞에서 우리와 함께 여기 서 있는 자와 오늘 우리와 함께 여기 있지 아니한 자에게까지이니

14 I am making this covenant, with its oath, not only with you 15 who are standing here with us today in the presence of the LORD our God but also with those who are not here today.

16 (우리가 애굽 땅에서 살았던 것과 너희가 여러 나라를 통과한 것을 너희가 알며 17 너희가 또 그들 중에 있는 가증한 것과 목석과 은금의 우상을 보았느니라)

16 You yourselves know how we lived in Egypt and how we passed through the countries on the way here. 17 You saw among them their detestable images and idols of wood and stone, of silver and gold.

오늘의 찬송 (새 546 통 399 주님 약속하신 말씀 위에 서)

(경배와 찬양) 완전하신 나의 주 의의 길로 날 인도하소서 행하신 모든 일 주님의 영광 다 경배합니다 예배합니다 찬양합니다 주님만 날 다스리소서 예배합니다 찬양합니다 주님 홀로 높임받으소서

---

18 너희 중에 남자나 여자나 가족이나 지파나 오늘 그 마음이 우리 하나님 여호와를 떠나서 그 모든 민족의 신들에게 가서 섬길까 염려하며 독초와 쑥의 뿌리가 너희 중에 생겨서

18 Make sure there is no man or woman, clan or tribe among you today whose heart turns away from the LORD our God to go and worship the gods of those nations; make sure there is no root among you that produces such bitter poison.

19 이 저주의 말을 듣고도 심중에 스스로 복을 빌어 이르기를 내가 내 마음이 완악하여 젖은 것과 마른 것이 멸망할지라도 내게는 평안이 있으리라 할까 함이라

19 When such a person hears the words of this oath and they invoke a blessing on themselves, thinking, "I will be safe, even though I persist in going my own way," they will bring disaster on the watered land as well as the dry.

20 여호와는 이런 자를 사하지 않으실 뿐 아니라 그 위에 여호와의 분노와 질투의 불을 부으시며 또 이 책에 기록된 모든 저주를 그에게 더하실 것이라 여호와께서 그의 이름을 천하에서 지워 버리시되

20 The LORD will never be willing to forgive them; his wrath and zeal will burn against them. All the curses written in this book will fall on them, and the LORD will blot out their names from under heaven.

21 여호와께서 곧 이스라엘 모든 지파 중에서 그를 구별하시고 이 율법책에 기록된 모든 언약의 저주대로 그에게 화를 더하시리라

21 The LORD will single them out from all the tribes of Israel for disaster, according to all the curses of the covenant written in this Book of the Law.

오늘의 말씀 요약

지도자부터 종, 객에 이르기까지 온 이스라엘이 하나님의 언약과 맹세에 참여합니다. 하나님은 언약과 맹세를 이날 백성과 함께 있지 않은 자에게까지 세우셨습니다. 하나님은 우상을 섬기는 자와, 저주의 말을 듣고도 완악한 마음을 품는 자에게 모든 언약의 저주대로 화를 더하실 것입니다.

언약에 참여하는 온 이스라엘 백성
29:10~13

하나님이 세우신 언약은 모든 사람에게 열려 있습니다. 시내산 언약이 출애굽 1세대와 맺은 언약이라면, 모압 언약은 가나안 땅에 들어갈 출애굽 2세대와 맺은 언약입니다. 이 언약에 온 이스라엘 공동체가 참여합니다. 백성의 지도자와 남자, 여자와 아이, 그리고 이스라엘에 기거하는 이방인 객과 종까지 언약 공동체에 포함됩니다. 하나님은 인종이나 신분, 성별과 지위를 막론하고 모든 사람을 언약의 대상으로 삼으셨습니다. 나무꾼과 백성의 지도자가 동일하게 언약 공동체의 구성원이 됩니다. 교회는 예수 그리스도께서 세우신 새 언약 공동체입니다. 그리스도의 몸 된 교회 안에서 신분과 지위에 따른 차별이나 장벽은 있을 수 없습니다.

모압 언약에는 어떤 이들이 참여했나요? 공동체에서 차별과 배제를 방지하고 포용과 사랑을 실천하기 위해 어떤 노력을 기울여야 할까요?

독초와 쑥의 뿌리에 임하는 하나님 심판
29:14~21

언약의 복은 현세대에서 다음 세대로 이어져야 합니다. 모압 평지에서 하나님은 미래의 이스라엘과도 언약을 맺으십니다. 현재와 미래의 이스라엘은 하나님이 애굽에서 행하신 일과 광야에서 인도하신 일을 잊지 않고 기억해야 합니다. 만일 하나님을 버리고 우상을 따르면 이스라엘 전역에 '독초와 쑥의 뿌리'가 자랄 것입니다. '독초와 쑥의 뿌리'는 그릇된 평안을 주장하는 완악한 자 혹은 그가 당할 쓰라린 고통을 비유합니다. 하나님은 그런 자에게 분노와 질투의 불을 쏟아부으실 것입니다. 그는 저주를 받고 그의 이름은 천하에서 지워질 것입니다. 하나님은 완악하여 회개하지 않으면서 평안만 구하는 자를 결코 방관하지 않으십니다. 성도는 죄의 독초가 자라지 않는지 항상 말씀 앞에서 자신을 돌아보아야 합니다.

이스라엘이 하나님을 떠나 우상을 섬기면 그들 중에 어떤 현상이 벌어지나요? 나에게 죄를 좇는 완악한 마음은 없는지 점검해 보세요.

오늘의 기도	하나님의 경고를 귀여겨듣지 않고 죄의 길을 기웃거리면서 '나만은 평안하다'고 되뇐 완악함이 제게 없는지요. 죄악을 간과하지 않으시는 하나님의 불꽃같은 말씀 위에 제 마음과 행위를 쏟아 놓게 하소서. 저와 공동체가 하나님 앞에 서서 영원한 언약을 되새기고 지키게 하소서.

체크 리스트가 있는 신앙생활

하나님의 사람, 너의
설 곳은 세상이다/
김문훈

유대인이 간직한 가장 큰 유산은 무엇일까? 아마 '토라'라고 부르는 모세 오경과 19권의 보조 경전, 구전으로 내려오는 지혜를 압축한 '탈무드'라는 지적 자산일 것이다. 이 경전들의 특징이 있다면, 그 가르침의 상당수가 이런저런 것을 '하지 말라'는 명령이라는 사실이다. 이런 명령이 인생을 피곤하게 하고 속박하는 무익한 것이라고 생각하는 사람도 있겠지만, 결코 그렇지 않다는 것이 역사를 통해 증명되었다. 유대인은 험한 세월을 살면서도 삶의 구체적인 원리를 가르쳐 주는 이 책들을 붙들고 온갖 고난을 견뎠다. 위대한 가르침을 실천하기 위해 늘 배우고 기억하며, 매사에 조심하고 절제하며 살았다. 그러다 보니 전 세계에 영향력을 끼치는 민족이 되었다.

주님 말씀을 늘 지켜 행하는지 점검하는 것이 중요하다. 날마다 성경을 묵상하고 성령의 음성을 들을 시간과 장소를 마련하라. 그 안에서 주님이 주신 세부 지침을 정리하고 체크 리스트를 만들라. 경건의 시간을 채울 교재를 정하고 함께 점검할 수 있는 교제권에 속한다면 금상첨화다. 일주일에 한 번이라도 모여 함께 묵상한 말씀을 나누다 보면 자기 실상이 객관화되고, 상대방의 이야기를 듣는 가운데 치유와 회복이 일어난다. 이로써 말씀과 기도, 전도와 교제라는 축이 안정적 균형을 이룬다면 삶의 바퀴가 잘 굴러갈 것이다. _ 예영커뮤니케이션

한절 묵상

하나님이 우리를
구원하시는 것은
그분과 사랑의 관계를
이어 가는 언약으로의
부르심이기도 하다.

— 헨리 블랙커비

신명기 29장 18~19절 | 모세가 언급한 '독초와 쑥의 뿌리'는 악독한 교훈을 옳다고 고집하며 회개할 줄 모르고 끝까지 강팍하게 구는 자들을 가리킵니다. 이들은 하나님이 우상을 섬기는 애굽과 이방 족속들을 치신 것처럼 이스라엘 역시 징계하실 것을 알면서도 거짓 '평안'을 호언장담합니다. 성도는 우상 숭배자들이 약속하는 평강과 형통이 아무리 그럴듯해 보여도 그 본질에 치명적인 독소가 내재해 있음을 간파해야 합니다. 박윤선 / 「구약 주석 4 신명기」

11 · 언약을 깨뜨림이 심판의 이유입니다

신명기 29:22~29

22 너희 뒤에 일어나는 너희의 자손과 멀리서 오는 객이 그 땅의 재앙과 여호와께서 그 땅에 유행시키시는 질병을 보며

22 Your children who follow you in later generations and foreigners who come from distant lands will see the calamities that have fallen on the land and the diseases with which the LORD has afflicted it.

23 그 온 땅이 유황이 되며 소금이 되며 또 불에 타서 심지도 못하며 결실함도 없으며 거기에는 아무 풀도 나지 아니함이 옛적에 여호와께서 진노와 격분으로 멸하신 소돔과 고모라와 아드마와 스보임의 무너짐과 같음을 보고 물을 것이요

23 The whole land will be a burning waste of salt and sulfur—nothing planted, nothing sprouting, no vegetation growing on it. It will be like the destruction of Sodom and Gomorrah, Admah and Zeboyim, which the LORD overthrew in fierce anger.

24 여러 나라 사람들도 묻기를 여호와께서 어찌하여 이 땅에 이같이 행하셨느냐 이같이 크고 맹렬하게 노하심은 무슨 뜻이냐 하면

24 All the nations will ask: "Why has the LORD done this to this land? Why this fierce, burning anger?"

25 그때에 사람들이 대답하기를 그 무리가 자기 조상의 하나님 여호와께서 그들의 조상을 애굽에서 인도하여 내실 때에 더불어 세우신 언약을 버리고

25 And the answer will be: "It is because this people abandoned the covenant of the LORD, the God of their ancestors, the covenant he made with them when he brought them out of Egypt.

아드마와 스보임(23절) 소돔과 고모라의 멸망 때 함께 멸망한 성읍들로 소돔과 고모라 근처에 있었을 것으로 추측된다.

오늘의 찬송 (새 286 통 218 주 예수님 내 맘에 오사)

주 예수님 내 맘에 오사 날 붙들어 주시고 내 마음에 새 힘을 주사 늘 기쁘게 하
소서/ 주 예수님 내 맘에 오사 날 정결케 하시고 그 은혜를 내 맘에 채워 늘 충
만케 하소서/ (후렴) 사랑의 주 사랑의 주 내 맘속에 찾아오사 내 모든 죄 사하
시고 내 상한 맘 고치소서

---

26 가서 자기들이 알지도 못하고 여호와께서 그들에게
주시지도 아니한 다른 신들을 따라가서 그들을 섬기고
절한 까닭이라

26 They went off and worshiped other gods and bowed down to them, gods
they did not know, gods he had not given them.

27 이러므로 여호와께서 이 땅에 진노하사 이 책에 기록
된 모든 저주대로 재앙을 내리시고

27 Therefore the LORD's anger burned against this land, so that he brought on
it all the curses written in this book.

28 여호와께서 또 진노와 격분과 크게 통한하심으로 그
들을 이 땅에서 뽑아내사 다른 나라에 내던지심이 오늘
과 같다 하리라

28 In furious anger and in great wrath the LORD uprooted them from their land
and thrust them into another land, as it is now."

29 감추어진 일은 우리 하나님 여호와께 속하였거니와 나
타난 일은 영원히 우리와 우리 자손에게 속하였나니 이
는 우리에게 이 율법의 모든 말씀을 행하게 하심이니라

29 The secret things belong to the LORD our God, but the things revealed
belong to us and to our children forever, that we may follow all the words of
this law.

오늘의 말씀 요약

이스라엘 땅이 재앙과 질병 등으로 참혹해지면 백성의 자손, 객, 여러 나라
사람들이 이유를 물을 것입니다. 사람들은 이스라엘이 하나님과 맺은 언약
을 저버리고 다른 신을 섬겼기 때문이라 답할 것입니다. 감춰진 일은 하나
님께, 나타난 일은 우리에게 속했으니 우리는 모든 말씀을 행해야 합니다.

이스라엘을 향해 수군대는 민족들

29:22~26

하나님 말씀에 순종하면 존귀를 얻지만, 불순종하면 수치와 멸시를 당합니다. 이스라엘이 불순종으로 인해 당할 재난은 열국의 백성이 놀랄 정도로 처참합니다. 고대 근동에서는 강대국이 약한 나라를 침략해 불을 지르고 소금을 뿌려 그 땅을 철저히 파괴하고 저주하곤 했습니다. 하나님이 이스라엘에게 은혜로 주신 젖과 꿀이 흐르는 땅은 온통 유황과 소금이 뒤덮게 되고 산과 들은 불에 타 풀 한 포기 자라지 않는 황무지가 될 것입니다. 열국의 민족이 하나님의 심판을 보고 놀라 "이같이 크고 맹렬하게 노하심은 무슨 뜻이냐?"라고 묻습니다. 이에 사람들은 이스라엘이 하나님 언약을 버리고 다른 신들을 섬겨 절했기 때문이라고 답합니다. 언약 백성이 하나님 말씀을 떠나면 세상의 조롱거리로 전락하고 맙니다.

이스라엘은 어떤 이유로 하나님의 크고 맹렬한 진노를 받게 되나요? 세상의 조롱거리가 되지 않도록 내가 지킬 언약의 말씀은 무엇인가요?

감추어진 일과 나타난 일

29:27~29

하나님 말씀은 진리요 생명이며 반드시 성취됩니다. 열국의 민족이 패망한 이스라엘을 향해 하나님이 진노하시고 격분하시고 통한하심으로 그들을 약속의 땅에서 뽑아내신 것이라고 조롱합니다. 열국은 하나님 율법책에 기록된 대로 이스라엘이 징벌받은 것이라고 말합니다. 하나님 말씀을 가볍게 여기고 하나님을 저버린 이스라엘과 대조적으로, 도리어 이방인들이 말씀의 진리를 증언합니다. 하나님은 때로 우리가 이해할 수 없는 '감추어진 일'을 행하십니다. 하지만 하나님은 '나타난 일' 곧 율법의 말씀을 통해 언약 백성이 지키고 행할 일이 무엇인지 분명하게 알려 주십니다. 성도는 이 말씀을 늘 묵상하며 하나님 뜻을 이루기 위해 힘써야 합니다.

열국의 민족은 기록된 하나님 말씀대로 이루어진 상황에 대해 어떤 반응을 보이나요? 기록된 하나님 말씀을 읽을 때 지닐 바람직한 태도는 무엇일까요?

오늘의 기도

예수 그리스도를 통해 언약 백성 삼아 주셨건만 신실하지 못한 모습으로 세상의 조롱거리요 성령의 근심거리가 된 저와 교회 공동체를 불쌍히 여기소서. 죄악 가운데 있는 백성을 바라보며 깊이 가슴 아파하시는 하나님의 긍휼에 힘입어 저부터 돌이키게 하소서.

착하기만 하면 안 되는 이유

성품 속에 담긴
축복의 법칙/
강준민

저는 크리스천은 착하고 너그러운 성품을 가져야 한다고 늘 생각해 왔습니다. 그런데 철학자 안병욱 교수님이 쓴 책을 읽다가, 성도가 갖춰야 할 덕이 부드러움만을 의미하는 것이 아님을 알게 되었습니다. "우리 앞에는 각자가 가야 할 길이 있다. 길을 계속 가려면 힘이 있어야 한다. 우리는 길을 가기 위해 힘을 길러야 한다. 그 힘은 바로 덕이다. 덕은 인간의 정신적 능력이다. 덕(virtue)은 라틴어 '비르투스'(virtus)에서 왔다. 비르투스는 씩씩한 것, 남자다운 것을 말한다.… 덕은 능력의 탁월성이요, 기능의 우수성이다. 덕은 선을 행할 수 있는 능력이다. 의사의 덕은 환자를 사랑하는 마음이요 병을 잘 치료하는 능력이다. 집을 잘 짓는 목수는 덕이 있는 목수요, 집을 안전하고 튼튼하게 짓지 않는 목수는 덕이 없는 목수다. 덕을 갖춘 교사가 학생을 가르치는 데 뛰어난 능력을 발휘할 수 있다."

신앙인 역시 그렇습니다. 죄를 이기고 말씀대로 살기 위한 힘을 갖춰야 합니다. 세상 권세를 두려워해 세상과 타협하려 한다면 세상에서도 멸시받게 됩니다. 주님 말씀을 따를 때 크리스천의 덕이 나타납니다. 우리의 덕은 주님을 향한 일편단심 충절에서 나옵니다. 그런 힘을 구하며 주님만을 신실하게 따를 때 주님이 맡기신 과업을 힘 있게 완수할 수 있습니다. _두란노

한절 묵상

우상을 버리고
주님을 선택하는 것은
전적으로 우리 자신을
위한 일이다.

- 조지 오티스 주니어

신명기 29장 29절 | 현명한 부모일수록 자녀들이 어느 정도 성장하기까지 알려 주어야 할 것과 그러지 말아야 할 것을 구분합니다. 어떤 것은 때에 맞지 않게 알면 도리어 유익하지 않기 때문입니다. 하나님 자녀인 우리에게도 하나님이 당장 드러내 알려 주시지 않는 것이 있습니다. 유한한 인간이 무한하신 하나님과 그분의 계획을 완전히 이해하려 하는 것은 어리석은 고집이요 교만입니다. 다만 '나타난 일'인 하나님의 말씀을 지켜 행해야 합니다. 「호크마 종합 주석 5 신명기」

12 · 하나님께로 돌이킴이 복된 삶의 시작입니다

신명기 30:1~10

1 내가 네게 진술한 모든 복과 저주가 네게 임하므로 네가 네 하나님 여호와로부터 쫓겨 간 모든 나라 가운데서 이 일이 마음에서 기억이 나거든

1 When all these blessings and curses I have set before you come on you and you take them to heart wherever the LORD your God disperses you among the nations,

2 너와 네 자손이 네 하나님 여호와께로 돌아와 내가 오늘 네게 명령한 것을 온전히 따라 마음을 다하고 뜻을 다하여 여호와의 말씀을 청종하면

2 and when you and your children return to the LORD your God and obey him with all your heart and with all your soul according to everything I command you today,

3 네 하나님 여호와께서 마음을 돌이키시고 너를 긍휼히 여기사 포로에서 돌아오게 하시되 네 하나님 여호와께서 흩으신 그 모든 백성 중에서 너를 모으시리니

3 then the LORD your God will restore your fortunes and have compassion on you and gather you again from all the nations where he scattered you.

4 네 쫓겨 간 자들이 하늘가에 있을지라도 네 하나님 여호와께서 거기서 너를 모으실 것이며 거기서부터 너를 이끄실 것이라

4 Even if you have been banished to the most distant land under the heavens, from there the LORD your God will gather you and bring you back.

5 네 하나님 여호와께서 너를 네 조상들이 차지한 땅으로 돌아오게 하사 네게 다시 그것을 차지하게 하실 것이며 여호와께서 또 네게 선을 행하사 너를 네 조상들보다 더 번성하게 하실 것이며

5 He will bring you to the land that belonged to your ancestors, and you will take possession of it. He will make you more prosperous and numerous than your ancestors.

오늘의 찬송 (새 527 통 317 어서 돌아오오)

(경배와 찬양) 나 무엇과도 주님을 바꾸지 않으리 다른 어떤 은혜 구하지 않으리 오직 주님만이 내 삶에 도움이시니 주의 얼굴 보기 원합니다 주님 사랑해요 온 맘과 정성 다해 하나님의 신실한 친구 되기 원합니다

6 네 하나님 여호와께서 네 마음과 네 자손의 마음에 할례를 베푸사 너로 마음을 다하며 뜻을 다하여 네 하나님 여호와를 사랑하게 하사 너로 생명을 얻게 하실 것이며

6 The LORD your God will circumcise your hearts and the hearts of your descendants, so that you may love him with all your heart and with all your soul, and live.

7 네 하나님 여호와께서 네 적군과 너를 미워하고 핍박하던 자에게 이 모든 저주를 내리게 하시리니

7 The LORD your God will put all these curses on your enemies who hate and persecute you.

8 너는 돌아와 다시 여호와의 말씀을 청종하고 내가 오늘 네게 명령하는 그 모든 명령을 행할 것이라

8 You will again obey the LORD and follow all his commands I am giving you today.

9~10 네가 네 하나님 여호와의 말씀을 청종하여 이 율법책에 기록된 그의 명령과 규례를 지키고 네 마음을 다하며 뜻을 다하여 여호와 네 하나님께 돌아오면 네 하나님 여호와께서 네 손으로 하는 모든 일과 네 몸의 소생과 네 가축의 새끼와 네 토지소산을 많게 하시고 네게 복을 주시되 곧 여호와께서 네 조상들을 기뻐하신 것과 같이 너를 다시 기뻐하사 네게 복을 주시리라

9 Then the LORD your God will make you most prosperous in all the work of your hands and in the fruit of your womb, the young of your livestock and the crops of your land. The LORD will again delight in you and make you prosperous, just as he delighted in your ancestors, 10 if you obey the LORD your God and keep his commands and decrees that are written in this Book of the Law and turn to the LORD your God with all your heart and with all your soul.

오늘의 말씀 요약

백성이 쫓겨 간 나라에서 하나님께 돌아와 마음과 뜻을 다해 말씀을 청종하면, 하나님이 흩어진 그들을 긍휼히 여기셔서 모으실 것입니다. 조상의 땅을 다시 차지하게 하시며, 마음에 할례를 베푸셔서 생명을 얻게 하실 것입니다. 하나님을 사랑하고 그분 명령을 행하면 다시 복을 주실 것입니다.

돌아와 말씀을
청종하면
30:1~4

인간의 죄악은 결코 하나님 언약을 폐기하지 못합니다. 이스라엘이 불순종으로 저주받아 가나안 땅에서 추방되더라도 하나님은 그들을 다시 돌아오도록 이끄실 것입니다. 하지만 회복에는 조건이 따릅니다. 방향 전환('돌아와'), 철저한 회개('온전히 따라'), 진심 어린 순종('마음을 다하고 뜻을 다하여 여호와의 말씀을 청종하면')입니다(2절). 하나님은 순종에는 복을, 불순종에는 저주를 내리십니다. 겸손히 하나님께로 돌이켜 마음 다해 순종하는 자에게는 긍휼과 자비가 임합니다. 비록 죄악 때문에 하늘 끝까지 사로잡혀 가게 하셨을지라도 기이한 방법으로 이끌어 내는 전능한 구원자십니다. 성도는 고난의 주권자가 구원의 주권자심을 기억해야 합니다.

약속의 땅에서 쫓겨나 포로로 잡혀간 이스라엘이 돌아오려면 어떻게 해야 하나요? 회복을 소망하는 내게 주님이 원하시는 것은 무엇일까요?

다시 기뻐하사
복 주시리라
30:5~10

돌이킴과 회복은 전적으로 하나님 은혜입니다. 하나님은 회개하고 돌이키는 이들을 이전보다 잘되고 번성하게 하겠다고 약속하십니다. 무엇보다 친히 자기 백성의 마음에 할례를 베푸셔서 순종하는 마음을 주겠다고 말씀하십니다. 징계뿐 아니라 돌이킴과 회복도 하나님의 주권에 속한 일입니다. 회복의 은혜를 소망한다면 마음 다해 하나님을 사랑하고 모든 말씀에 순종하는 것을 우선시해야 합니다. 그럴 때 생명을 얻고 대적을 꺾으며 자녀·육축·소산물 등 삶의 모든 측면에서 풍성한 복을 누리게 됩니다. 고난은 하나님을 찾고 구하라는 신호입니다. 하나님은 그분께 돌이키는 이들을 기쁨으로 받아 주시며 이전보다 큰 사랑과 복을 내려 주십니다. 회개는 하나님의 충만한 복이 다시 흐르게 하는 통로입니다.

하나님이 우리 마음에 할례를 베푸시면 어떤 일이 일어날까요? 내가 하나님께로 돌이킬 때 하나님이 이전보다 큰 사랑과 은혜를 베푸시는 이유는 무엇일까요?

오늘의 기도	회개의 자리로 나아가기만 하면 세상 끝이라도 찾아오셔서 다시 일으키시는 하나님 사랑이 얼마나 감격스러운지요. 죄로 인해 깊은 수렁에 빠지더라도 그 사랑을 떠올리며 용서와 은혜를 간구하게 하소서. 진실히 사랑하고 온전히 순종하는 성숙의 자리로 나아가게 하소서.

복을 달라고만 하지 말고 복이 되라

겁나지만
겁내지 않는다/
김종원

고성능 절삭 공구를 만들었던 한 회사가 IMF 때 경영 위기를 맞았습니다. 사장은 교회 장로였습니다. 그는 자신이 다니는 교회에 기도 제목을 내놓기도 하고, 하나님 앞에 나아가 날마다 부르짖었습니다. "하나님, 지금 회사가 도산할 위기입니다. 제발 도와주세요." 그런데 기도할 때 자꾸만 하나님이 이렇게 물으시는 것 같았습니다. "내가 너에게 보내 준 사원을 몇 명이나 구원의 길로 인도했느냐?" 그는 좀 억울해하며 이렇게 대답했습니다. "하나님, 저는 선교사가 아닙니다. 작은 회사의 사장일 뿐입니다." 그러자 하나님은 그에게 너무나 분명하게 말씀하셨습니다. "직원 한 사람이라도 제자 삼아 복이 되게 하라."

그는 순종하는 마음으로, 성경 공부를 함께할 직원들을 모아 함께 기도하고 말씀을 나누었습니다. 그리고 배운 말씀을 삶에 적용하며 열심히 일했습니다. 그러자 회사가 살아나기 시작했습니다. 회사가 어려운 중에도 직원들이 회사를 떠나지 않아 흔들림 없이 난국을 타개했던 것입니다.

그는 매출이 늘어난 것보다 중요한 것은 직원들이 말씀 안에 거하는 복을 누리게 된 것이라고 고백했습니다. 자기를 위해 복을 달라 빌지만 말고, 많은 사람을 복되게 하는 사람이 되십시오. 그것이 참된 복을 받는 비결입니다. _ 벅서스CROSS

한절 묵상

죄로 고통당할 때의
해결책은
무조건 하나님 앞에
나아가는 것이다.

– 레이 오틀런드

신명기 30장 3~4절 | 추방당함은 인간의 행위 때문이지만, 돌아옴은 전적으로 하나님 은혜에 기인합니다. 이런 맥락에서 '돌아오게 하시되'라는 말씀은 복음이요 하나님의 구원 계획을 담고 있습니다. 멸망의 원인이 이스라엘의 전적 타락에 있을지라도 하나님은 그들을 포로지에서 반드시 데리고 오겠다는 강한 의지를 갖고 계십니다. 하나님 백성에게 심판이 끝이 아닌 이유는, 소망의 하나님이 주권적으로 행하실 구원에 있습니다. 유도순/「구약성경 파노라마 5 신명기」

13 · 입과 마음에 둔 말씀, 생명 길로 이끄는 힘

신명기 30:11~20

11 내가 오늘 네게 명령한 이 명령은 네게 어려운 것도 아니요 먼 것도 아니라

11 Now what I am commanding you today is not too difficult for you or beyond your reach.

12 하늘에 있는 것이 아니니 네가 이르기를 누가 우리를 위하여 하늘에 올라가 그의 명령을 우리에게로 가지고 와서 우리에게 들려 행하게 하랴 할 것이 아니요

12 It is not up in heaven, so that you have to ask, "Who will ascend into heaven to get it and proclaim it to us so we may obey it?"

13 이것이 바다 밖에 있는 것이 아니니 네가 이르기를 누가 우리를 위하여 바다를 건너가서 그의 명령을 우리에게로 가지고 와서 우리에게 들려 행하게 하랴 할 것도 아니라

13 Nor is it beyond the sea, so that you have to ask, "Who will cross the sea to get it and proclaim it to us so we may obey it?"

14 오직 그 말씀이 네게 매우 가까워서 네 입에 있으며 네 마음에 있은즉 네가 이를 행할 수 있느니라

14 No, the word is very near you; it is in your mouth and in your heart so you may obey it.

15 보라 내가 오늘 생명과 복과 사망과 화를 네 앞에 두었나니

15 See, I set before you today life and prosperity, death and destruction.

16 곧 내가 오늘 네게 명령하여 네 하나님 여호와를 사랑하고 그 모든 길로 행하며 그의 명령과 규례와 법도를 지키라 하는 것이라 그리하면 네가 생존하며 번성할 것이요 또 네 하나님 여호와께서 네가 가서 차지할 땅에서 네게 복을 주실 것임이니라

오늘의 찬송 (새 23 통 23 만 입이 내게 있으면)

만 입이 내게 있으면 그 입 다 가지고 내 구주 주신 은총을 늘 찬송하겠네/ 내 은혜로신 하나님 날 도와주시고 그 크신 영광 널리 펴 다 알게 하소서/ 내 주의 귀한 이름이 날 위로하시고 이 귀에 음악 같으니 참희락 되도다/ 내 죄의 권세 깨뜨려 그 결박 푸시고 이 추한 맘을 피로써 곧 정케 하셨네 아멘

16 For I command you today to love the LORD your God, to walk in obedience to him, and to keep his commands, decrees and laws; then you will live and increase, and the LORD your God will bless you in the land you are entering to possess.

17 그러나 네가 만일 마음을 돌이켜 듣지 아니하고 유혹을 받아 다른 신들에게 절하고 그를 섬기면

17 But if your heart turns away and you are not obedient, and if you are drawn away to bow down to other gods and worship them,

18 내가 오늘 너희에게 선언하노니 너희가 반드시 망할 것이라 너희가 요단을 건너가서 차지할 땅에서 너희의 날이 길지 못할 것이니라

18 I declare to you this day that you will certainly be destroyed. You will not live long in the land you are crossing the Jordan to enter and possess.

19 내가 오늘 하늘과 땅을 불러 너희에게 증거를 삼노라 내가 생명과 사망과 복과 저주를 네 앞에 두었은즉 너와 네 자손이 살기 위하여 생명을 택하고

19 This day I call the heavens and the earth as witnesses against you that I have set before you life and death, blessings and curses. Now choose life, so that you and your children may live

20 네 하나님 여호와를 사랑하고 그의 말씀을 청종하며 또 그를 의지하라 그는 네 생명이시요 네 장수이시니 여호와께서 네 조상 아브라함과 이삭과 야곱에게 주리라고 맹세하신 땅에 네가 거주하리라

20 and that you may love the LORD your God, listen to his voice, and hold fast to him. For the LORD is your life, and he will give you many years in the land he swore to give to your fathers, Abraham, Isaac and Jacob.

오늘의 말씀 요약

하나님의 명령은 어렵지도, 멀리 있지도 않습니다. 입에 있어 매우 가까우며, 마음에 있어 행할 수 있습니다. 하나님을 사랑하고 그분 명령을 지키는지 여부에 따라 생명과 복, 사망과 화가 갈립니다. 하나님 백성은 생명을 선택하고, 하나님을 사랑하고 의지하며 그분 말씀을 청종해야 합니다.

말씀의 근접성과 명확성
30:11~14

하나님이 주신 율법과 규례는 구원의 방편은 아니지만 우리에게 선하고 유익합니다. 하나님은 애굽에서 이스라엘을 구원해 내신 후 먼저 시내산으로 이끄셔서 모세를 통해 율법을 주셨습니다. 율법에는 하나님 백성으로서 거룩하게 살아가는 데 필요한 삶의 원칙과 방법이 총괄적으로 제시되어 있습니다. 하나님이 주신 명령은 사람이 이해하기 어렵거나 순종하기 어려운 것이 아닙니다. 내용이 어려워서가 아니라 타락한 인간의 뿌리 깊은 죄성으로 인해 하나님의 선한 말씀을 받지 않으려 하고, 행하지도 못하는 것입니다. 하나님 말씀은 우리 입과 마음에 매우 가까이 있습니다. 우리가 취할 태도는 말씀을 즐거워하면서 주야로 묵상하는 것입니다. 그럴 때 말씀의 의미를 깨치고 순종의 길로 행해 생명과 복을 누립니다.

하나님은 그분 말씀을 어디에 두셨다고 알려 주시나요? 말씀이 홍수를 이루는 시대에 살면서도 영혼의 갈증과 곤고함을 느끼는 이유는 무엇일까요?

말씀의 엄중성과 영원성
30:15~20

인생에는 두 가지 길이 있습니다. 생명의 길과 사망의 길입니다. 이를 나누는 기준은 하나님 말씀입니다. 하나님 말씀을 청종하면 생명과 복을 누리지만, 불순종하면 저주와 사망이 따릅니다. 하나님의 준엄한 명령은 '하나님을 사랑하고 그분의 말씀을 청종하며 그분을 의지하라'는 것입니다(20절). 만약 유혹에 넘어가 다른 신들을 따르면 반드시 멸망합니다. 언약 백성의 생명과 장수, 기업과 미래는 경제력이나 국방력이 아닌 하나님 말씀에 달려 있습니다. 성도는 하나님을 사랑하고 범사에 말씀을 좇아 살아야 합니다. 부와 권력과 명예를 배설물로 여기고, 예수 그리스도를 얻고 그 안에서 발견될 때 영원한 만족과 기쁨을 누립니다(빌 3:8~9).

'생명과 사망', '복과 화'를 가르는 기준은 무엇인가요? 좋은 것을 분별하고 취하기 위해(살전 5:21), 나는 오늘 어떤 선택을 하기로 결단해야 할까요?

오늘의 기도	말씀이 무겁고 멀게 느껴지는 것은 흔쾌히 순종하려 하지 않는 제 마음 때문이 아닌지 돌아봅니다. 지금도 가까이서 말씀하시는 주님의 인자한 음성을 듣게 하소서. 제 입과 마음에 두신 말씀을 청종해 생명과 평안을 누리게 하소서.

불이익을 감수하는 순수 신앙

하나님의 청년은
시대를 탓하지
않는다/
이승장

인류가 개화되고 대부분의 나라에 종교의 자유가 보장된 것만 같은 오늘날에도, 땅끝 선교지에는 하나님을 섬기기 위해 목숨 바치는 순교자가 많이 있습니다. 이처럼 물리적으로 생명의 위협을 직접 느끼지 않더라도, 세상에서 신앙 양심을 지키기 위해 불이익을 감수해야 하는 경우가 얼마든지 있습니다. '그리 아니하실지라도 하나님만 섬기겠다'는 자세 없이는 악의 세력에 굴복해 쓰러지게 됩니다.

학생은 이렇게 기도해야 합니다. "장학금을 못 받게 되더라도 커닝하지 않고 진실하게 시험에 임하겠습니다." 이성과 교제하고 있다면 이렇게 기도해야 합니다. "주님 보시기에 순결한 교제를 하겠습니다." 직장인은 다음과 같이 선포해야 합니다. "최선을 다해 일하되 직장을 잃는 한이 있더라도 악한 방법을 쓰지 않겠습니다."

온 우주를 주관하시는 분은 하나님입니다. 그 진리를 믿는다면 세상의 어떤 위협에도 흔들리지 않고 하나님 말씀대로 따를 수 있습니다. 순수하게 신앙을 지키며 단순하게 말씀에 순종하기만 하면 됩니다. 하나님은 신실하셔서 약속을 반드시 지키시기에 결코 그분의 백성을 내버려 두지 않으십니다. 불이익을 감수하고라도 주님을 따르며 섬기는 자를 잊지 않으시고 반드시 구원하셔서 열방 가운데 높여 주십니다. _규장

한절 묵상

그리스도와 온전히
연합하는 것 외의
어떤 방법으로도
하나님을 기쁘시게
할 수 없다.

– 앤드류 머레이

신명기 30장 11, 14절 | 누군가를 사랑하면 상대방이 좋아하는 것을 해 주려고 애를 씁니다. 그렇다고 꼭 문학적으로 높은 경지의 시를 쓰거나 뛰어난 가창력으로 노래를 불러야 하는 것이 아닙니다. 소박하고 일상적인 것이라도 사랑의 진심을 전달하는 것이 중요합니다. 마찬가지로 하나님께 큰돈을 바치거나 그럴듯한 일을 해야만 하는 것은 아닙니다. 하나님 앞에 나아가 그분의 말씀을 듣고 지켜 행함으로 우리의 마음을 드릴 수 있습니다. 박영선/「언약을 위한 책」

모세가 자신의 죽음을 기록했나

'모세 오경'이라는 용어에 익숙한 독자들은 신명기 마지막 부분을 읽으면서 의구심을 갖게 된다. 모세의 죽음이 기록되어 있기 때문이다. 이후에 이스라엘 백성이 30일을 애곡했다는 말까지 나온다. 모세 오경이라는 용어에 기계적으로 매달리는 이들은 모세가 자신의 죽음에 대한 예고로 이를 기록했다고 주장한다. 그러나 "오늘까지 그의 묻힌 곳을 아는 자가 없느니라"(34:6), "그 후에는 이스라엘에 모세와 같은 선지자가 일어나지 못하였나니"(34:10)라는 기록은 그런 추측을 무색하게 한다. 민수기 12장 3절에 대해서도 비슷한 의문이 제기된다. "이 사람 모세는 온유함이 지면의 모든 사람보다 더하더라."라는 말을 모세가 스스로 썼다고 보기는 아무래도 어색하다.

이 대목에서 '모세 저작설'의 의미를 살펴보아야 한다. 오늘날에도 유명 저자의 글을 싣고 주해·해설·각주 등을 보충해 넣는 경우가 많다. 예를 들어 영성 신학자 헨리 나우웬의 여러 글을 편집자가 의도한 주제에 따라 모으고, 거기에 주해를 첨부해 책을 만드는 경우도 있다. 그 책의 저자는 여전히 헨리 나우웬이다. 이는 현대의 출판 관행에 속한다. 고대 문서의 저자 문제도 당시 문서의 생산·유통·수용 과정을 고려해야 한다. 신명기 저자가 모세라는 말은 신명기 전체를 모세가 직접 손으로 기록했다는 말과 다를 수 있다. 요한복음은 결론 부분에 "이 일들을 증언하고 이 일들을 기록한 제자가 이 사람이라 우리는 그의 증언이 참된 줄 아노라"(요 21:24)라고 기록되어 있다. 적어도 이 부분은 요한의 제자 중 누군가가 기록했을 것이다.

신명기의 경우, 34장뿐 아니라 그 앞에 나오는 모세의 유언과 연설 등을 모세가 손으로 직접 썼을 수도 있고, 그의 연설을 들은 백성 중에 누군가가 기록했을 수도 있다. 누구를 저자라 해야 할까? 한 목회자의 설교를 녹음한 것을 실무자가 녹취하고 정리해서 출판할 때 누구도 그 실무자를 저자라 말하지 않는다. 모세 저작물의 경우 여호수아가 그 기록자로 지목되어 왔다. "여호수아가 이 모든 말씀을 하나님의 율법 책에 기록하고"(수 24:26)라는 말씀은 모세 오경의 일부와 관련되어 있다고 보는 견해가 유력하다. 중요한 것은 모세가 손수 썼는지 여부가 아니라 쓴 사람이 얼마나 신실하게 그 내용을 담아냈는가 하는 점이다. 성령은 저자에게 영감을 주셨을 뿐 아니라 기록되고 전승되는 과정 가운데 또한 역사하셨다.

박영호 | 포항제일교회 담임 목사. 전 한일장신대학교 신약학 교수

둘째 주

여호와의 분깃은 자기 백성이라 야곱은 그가 택하신 기업이로다
여호와께서 그를 황무지에서, 짐승이 부르짖는 광야에서 만나시고
호위하시며 보호하시며 자기의 눈동자같이 지키셨도다(신 32:9~10).

14 · 하나님이 함께하시니 강하고 담대하라

신명기 31:1~8

1 또 모세가 가서 온 이스라엘에게 이 말씀을 전하여

1 Then Moses went out and spoke these words to all Israel:

2 그들에게 이르되 이제 내 나이 백이십 세라 내가 더 이상 출입하지 못하겠고 여호와께서도 내게 이르시기를 너는 이 요단을 건너지 못하리라 하셨느니라

2 "I am now a hundred and twenty years old and I am no longer able to lead you. The LORD has said to me, 'You shall not cross the Jordan.'

3 여호와께서 이미 말씀하신 것과 같이 네 하나님 여호와께서 너보다 먼저 건너가사 이 민족들을 네 앞에서 멸하시고 네가 그 땅을 차지하게 할 것이며 여호수아는 네 앞에서 건너갈지라

3 The LORD your God himself will cross over ahead of you. He will destroy these nations before you, and you will take possession of their land. Joshua also will cross over ahead of you, as the LORD said.

4 또한 여호와께서 이미 멸하신 아모리 왕 시혼과 옥과 및 그 땅에 행하신 것과 같이 그들에게도 행하실 것이라

4 And the LORD will do to them what he did to Sihon and Og, the kings of the Amorites, whom he destroyed along with their land.

5 또한 여호와께서 그들을 너희 앞에 넘기시리니 너희는 내가 너희에게 명한 모든 명령대로 그들에게 행할 것이라

오늘의 찬송 (새 354 통 394 주를 앙모하는 자)

(경배와 찬양) 아무것도 두려워 말라 주 나의 하나님이 지켜 주시네 놀라지 마라 겁내지 마라 주님 나를 지켜 주시네(x2) 내 맘이 힘에 겨워 지칠지라도 주님 나를 지켜 주시네 세상의 험한 풍파 몰아칠 때도 주님 나를 지켜 주시네 주님은 나의 산성 주님은 나의 요새 주님은 나의 소망 나의 힘이 되신 여호와

5 The LORD will deliver them to you, and you must do to them all that I have commanded you.

6 너희는 강하고 담대하라 두려워하지 말라 그들 앞에서 떨지 말라 이는 네 하나님 여호와 그가 너와 함께 가시며 결코 너를 떠나지 아니하시며 버리지 아니하실 것임이라 하고

6 Be strong and courageous. Do not be afraid or terrified because of them, for the LORD your God goes with you; he will never leave you nor forsake you."

7 모세가 여호수아를 불러 온 이스라엘의 목전에서 그에게 이르되 너는 강하고 담대하라 너는 이 백성을 거느리고 여호와께서 그들의 조상에게 주리라고 맹세하신 땅에 들어가서 그들에게 그 땅을 차지하게 하라

7 Then Moses summoned Joshua and said to him in the presence of all Israel, "Be strong and courageous, for you must go with this people into the land that the LORD swore to their ancestors to give them, and you must divide it among them as their inheritance.

8 그리하면 여호와 그가 네 앞에서 가시며 너와 함께하사 너를 떠나지 아니하시며 버리지 아니하시리니 너는 두려워하지 말라 놀라지 말라

8 The LORD himself goes before you and will be with you; he will never leave you nor forsake you. Do not be afraid; do not be discouraged."

오늘의 말씀 요약

모세는 요단을 건너지 못하고, 여호수아가 건너갈 것입니다. 하나님이 먼저 건너가셔서 가나안 민족들을 멸하실 것이며, 이스라엘 백성을 결코 떠나거나 버리지 않으실 것입니다. 그러니 그들은 담대하고, 두려워하지 말아야 합니다. 모세가 여호수아를 불러 백성의 목전에서 격려합니다.

앞서가시며 대적을 물리치시는 하나님
31:1~8

약속의 성취는 믿음으로 담대히 행하는 사람에게 주어집니다. 출애굽의 지도자였던 모세는 이제 120세 노인이 되었습니다. 비록 자신은 약속의 땅에 들어가지 못하지만, 그는 온 이스라엘과 새로운 지도자 여호수아에게 담대함과 확고한 믿음을 심어 줍니다. 하나님이 친히 앞서가실 것과 결코 그들을 떠나지 않으시고 함께하시며 가나안 땅을 반드시 차지하게 하실 것을 거듭 천명합니다. 이스라엘은 이미 요단 동쪽에서 강대한 두 민족 아모리 왕 시혼과 바산 왕 옥을 진멸했기에 천하 만민이 이스라엘의 명성을 듣고 두려워하고 있습니다(2:24~25). 가나안 정복은 하나님 약속의 성취입니다. 언약 백성에게 필요한 것은 담대함과 의심 없는 순종입니다. 하나님의 약속을 굳건히 의지하고 믿음으로 순종하면, 하나님이 앞서가시며 평탄한 길을 열어 주십니다.

이스라엘이 강하고 담대하게 가나안 땅을 정복할 수 있는 이유는 무엇인가요? 내가 두려움을 떨쳐 버리고 용기를 내어 도전할 일은 무엇인가요?

주일 가족 QT 나눔

▶ **마음 모으기**
찬양과 기도로 시작하기

▶ **마음 열기**
한 주간 하나님이 내게 행하신 일(은혜) 나누기

▶ **가족 QT 나누기**
'관찰, 적용과 나눔' 질문 활용하기

▶ **하나님 성품 닮아 가기**
닮아 갈 하나님(성부, 성자, 성령)의 성품을 기록하고 나누기

▶ **함께 기도하기**
한 주간 가족이 함께 기도할 기도 제목을 정하고 기도하기

▶ **주기도문으로 마치기**

1 관찰   모세는 가나안 정복을 앞둔 이스라엘 백성을 어떻게 독려했나요? 그가 정복 사례로 든 것은 요단 동쪽 어느 민족인가요?(31:3~6)

적용과 나눔   하나님이 우리 가족을 위해 이루신 놀라운 승리가 있다면 무엇인가요? 우리 가족이 담대히 다시 시작할 일은 무엇인가요?

2 관찰   모세는 새로운 지도자 여호수아를 어떻게 격려했나요?(31:7~8) 모세로부터 믿음의 격려를 받은 여호수아의 마음은 어떠했을까요?

적용과 나눔   어려움 가운데서도 흔들림 없이 사명을 감당할 힘은 어디서 나올까요? 우리 가족이 격려하며 용기를 북돋아 줄 사람은 누구인가요?

설교 노트

제목 : _____

본문 : _____

내용 :

15 · 지속적인 말씀 전수가 어두운 미래를 밝힙니다

신명기 31:9~18

9 또 모세가 이 율법을 써서 여호와의 언약궤를 메는 레위 자손 제사장들과 이스라엘 모든 장로에게 주고

9 So Moses wrote down this law and gave it to the Levitical priests, who carried the ark of the covenant of the LORD, and to all the elders of Israel.

10 모세가 그들에게 명령하여 이르기를 매 칠 년 끝 해 곧 면제년의 초막절에 11 온 이스라엘이 네 하나님 여호와 앞 그가 택하신 곳에 모일 때에 이 율법을 낭독하여 온 이스라엘에게 듣게 할지니

10 Then Moses commanded them: "At the end of every seven years, in the year for canceling debts, during the Festival of Tabernacles, 11 when all Israel comes to appear before the LORD your God at the place he will choose, you shall read this law before them in their hearing.

12 곧 백성의 남녀와 어린이와 네 성읍 안에 거류하는 타국인을 모으고 그들에게 듣고 배우고 네 하나님 여호와를 경외하며 이 율법의 모든 말씀을 지켜 행하게 하고

12 Assemble the people—men, women and children, and the foreigners residing in your towns—so they can listen and learn to fear the LORD your God and follow carefully all the words of this law.

13 또 너희가 요단을 건너가서 차지할 땅에 거주할 동안에 이 말씀을 알지 못하는 그들의 자녀에게 듣고 네 하나님 여호와 경외하기를 배우게 할지니라

13 Their children, who do not know this law, must hear it and learn to fear the LORD your God as long as you live in the land you are crossing the Jordan to possess."

면제년(10절) 자유가 선포되는 해로, 7년마다 돌아오는 안식년을 말한다(레 25:7). 면제년에는 꾸어 주었던 것을 탕감해 주어야 하며, 종으로 살던 사람을 해방해야 한다(15:2, 12).

14 여호와께서 모세에게 이르시되 네가 죽을 기한이 가까웠으니 여호수아를 불러서 함께 회막으로 나아오라 내가 그에게 명령을 내리리라 모세와 여호수아가 나아가서 회막에 서니

나의 사랑하는 책 비록 해어졌으나 어머니의 무릎 위에 앉아서 재미있게 듣던
말 그때 일을 지금도 내가 잊지 않고 기억합니다 귀하고 귀하다 우리 어머니가
들려주시던 재미있게 듣던 말 이 책 중에 있으니 이 성경 심히 사랑합니다

14 The LORD said to Moses, "Now the day of your death is near. Call Joshua
and present yourselves at the tent of meeting, where I will commission him."
So Moses and Joshua came and presented themselves at the tent of meeting.

15 여호와께서 구름기둥 가운데에서 장막에 나타나시고
구름기둥은 장막 문 위에 머물러 있더라

15 Then the LORD appeared at the tent in a pillar of cloud, and the cloud stood
over the entrance to the tent.

16 또 여호와께서 모세에게 이르시되 너는 네 조상과 함
께 누우려니와 이 백성은 그 땅으로 들어가 음란히 그
땅의 이방 신들을 따르며 일어날 것이요 나를 버리고 내
가 그들과 맺은 언약을 어길 것이라

16 And the LORD said to Moses: "You are going to rest with your ancestors,
and these people will soon prostitute themselves to the foreign gods of the
land they are entering. They will forsake me and break the covenant I made
with them.

17 내가 그들에게 진노하여 그들을 버리며 내 얼굴을 숨
겨 그들에게 보이지 않게 할 것인즉 그들이 삼킴을 당하
여 허다한 재앙과 환난이 그들에게 임할 그때에 그들이
말하기를 이 재앙이 우리에게 내림은 우리 하나님이 우
리 가운데에 계시지 않은 까닭이 아니냐 할 것이라 18 또
그들이 돌이켜 다른 신들을 따르는 모든 악행으로 말미
암아 내가 그때에 반드시 내 얼굴을 숨기리라

17 And in that day I will become angry with them and forsake them; I will hide
my face from them, and they will be destroyed. Many disasters and calamities
will come on them, and in that day they will ask, 'Have not these disasters come
on us because our God is not with us?' 18 And I will certainly hide my face in
that day because of all their wickedness in turning to other gods.

오늘의 말씀 요약

레위 제사장들과 모든 장로는 매 7년 끝 해, 곧 면제년의 초막절에 율법을
낭독해 온 이스라엘이 듣게 해야 합니다. 이는 말씀을 지키고, 하나님 경외
하기를 배우게 하기 위함입니다. 그러나 백성은 결국 하나님을 버리고 언약
을 어길 것입니다. 그때 하나님은 그분 얼굴을 숨기실 것입니다.

말씀을 듣고 배우게 하라
31:9~13

하나님 말씀은 언약 백성에게 삶의 지침이자 구원의 길입니다. 모세는 율법을 기록해 레위 제사장들(종교 지도자들)과 모든 장로(정치 지도자들)에게 주며 백성을 가르치도록 지시합니다. 그들은 7년마다 면제년(안식년)의 초막절에 타국인을 포함한 남녀노소 모든 사람이 한자리에 모일 때 큰 소리로 율법을 낭독해야 합니다. 그래서 모두가 율법을 듣고 하나님 경외하기를 배우며 율법을 지켜 행하게 해야 합니다. 이를 통해 백성은 지속적으로 언약을 기억하고 자녀들에게도 율법의 중요성을 가르치게 됩니다. 성도의 가장 큰 책임은 다음 세대에게 하나님 말씀을 가르쳐 지키게 하는 것입니다. 말씀을 택하는 것은 생명을 택하는 것입니다. 대대손손 하나님을 경외하고 말씀의 길로 행할 때 믿음의 역사가 이어집니다.

레위 제사장들과 모든 장로는 모세가 주는 율법책을 가지고 어떻게 해야 했나요? 내가 하나님 말씀을 가르쳐 지키게 할 이들은 누구인가요?

다른 신을 따르면 내 얼굴을 숨기리라
31:14~18

하나님은 우리의 과거와 현재뿐 아니라 미래까지 아시는 분입니다. 모세와 여호수아를 회막으로 부르신 하나님은 그곳에서 미래 이스라엘의 불순종과 배반을 예고하십니다. 이스라엘이 하나님을 버리고 다른 신을 섬기면, 하나님과의 관계가 단절되고 성민으로서 모든 혜택과 권리를 상실할 것입니다. 그들의 죄악으로 인해 하나님은 그들을 버리시고 은총을 베푸시던 얼굴을 숨기실 것입니다. 하나님이 외면하시면 이스라엘은 소망 없는 민족이 됩니다. 재앙과 환난의 때에 기도해도 응답받지 못합니다. 하나님은 언약 백성의 어두운 미래를 모두 알고 계십니다. 그럼에도 계속해서 권면하시며 순종을 명하시는 것은 그분의 인격적인 사랑 때문입니다.

하나님이 회막에서 들려주신 이스라엘의 미래는 어떠한가요? 하나님이 그분 얼굴을 숨기시는 때와 비추시는 때에 내 삶은 어떻게 달라질까요?

| 오늘의 기도 | 세상 부와 권력을 다 가져도 하나님이 얼굴을 숨기시면 삶은 황폐할 수밖에 없습니다. 다음 세대가 하나님을 알지 못하는 세대가 되지 않도록 그들을 위한 수고를 아끼지 않게 하소서. 하나님 앞에 설 때 후회가 없도록 모든 세대가 하나님을 경외하고 순종하게 하소서. |

마음의 굳은살 없애기

안녕, 기독교/
김정주

헬스를 하다 보면 자연스럽게 굳은살이 잡힌다. 처음에는 무거운 것을 들어 올릴 때 힘을 주어야 하니까 손바닥과 손가락이 연결되는 부분이 무척 아픈데, 하면 할수록 점점 아프지 않게 된다. 아니, 감각 자체가 없어진다. 굳은살이 생겨서다. 굳은살이 생긴 부분은 확실히 달라서 맨살에서 느껴지는 그런 감각이 전혀 없다. 딱딱하고 무감각하다.

죄도 이와 같다. 처음 죄를 지을 때는 영혼에 엄청난 고통이 찾아온다. 양심의 괴로움, 성령의 근심하심이 덤벨이나 바벨을 처음 잡았을 때처럼 선명하게 느껴진다. 그 아픔이 하나님 앞에 죄를 토해 놓고 회개하게 만든다. 이것이 맨살과 같은 마음, 부드러운 마음 상태다. 하지만 어떤 죄를 반복해서 지으면 영혼에는 점점 굳은살이 생긴다. 죄로 말미암은 아픔을 느끼지 못하니, 하나님 앞에 죄를 토해 놓고 회개하지 않는다. 이것이 굳은살 같은 딱딱한 마음 상태다.

어떻게 해야 할까? 하나님 말씀을 듣는 자리로 나아가야 한다. 정확하게 죄를 지적하는 말씀은 굳은살처럼 딱딱해진 마음에 날카로운 상처를 낸다. 그 상처에 성령의 도우심을 구하며 퍼붓는 기도가 마음의 굳은살을 깨뜨린다. 정한 마음과 정직한 영이 회복되어 다시 죄로 인한 아픔을 알게 된다. 이 아픔이 있을 때 우리는 하나님 마음을 알게 되고, 죄와 피 흘리기까지 싸우는 사람이 된다. _토기장이

한절 묵상

영적 갱신의
참된 표징은
하나님을 사랑해서
그분의 모든 계명에
순종하는 것이다.

– 존 오웬

신명기 31장 11~12절 | 면제년의 초막절에는 비록 율법 전체를 훤히 아는 지혜로운 자라도 낭독자가 읽는 말씀을 주의 깊게 들어야 했습니다. 낭독자는 곧 하나님 말씀이 회중에게 들리도록 하는 사자였습니다. 우리 또한 배우고 성장하기 위해 하나님 말씀을 들어야 합니다. 하나님을 경외하기 위해 말씀을 듣고 배우며, 말씀을 지키고 행하기 위해 하나님을 경외해야 합니다. 순종하지 않으면서 경외하는 척하는 것은 모두 헛일입니다. 매튜 헨리/「매튜 헨리 성경 주석 6 신명기」

16 · 불순종의 결과를 마음 깊이 새기십시오

신명기 31:19~29

19 그러므로 이제 너희는 이 노래를 써서 이스라엘 자손들에게 가르쳐 그들의 입으로 부르게 하여 이 노래로 나를 위하여 이스라엘 자손들에게 증거가 되게 하라

19 "Now write down this song and teach it to the Israelites and have them sing it, so that it may be a witness for me against them.

20 내가 그들의 조상들에게 맹세한바 젖과 꿀이 흐르는 땅으로 그들을 인도하여 들인 후에 그들이 먹어 배부르고 살찌면 돌이켜 다른 신들을 섬기며 나를 멸시하여 내 언약을 어기리니

20 When I have brought them into the land flowing with milk and honey, the land I promised on oath to their ancestors, and when they eat their fill and thrive, they will turn to other gods and worship them, rejecting me and breaking my covenant.

21 그들이 수많은 재앙과 환난을 당할 때에 그들의 자손이 부르기를 잊지 아니한 이 노래가 그들 앞에 증인처럼 되리라 나는 내가 맹세한 땅으로 그들을 인도하여 들이기 전 오늘 나는 그들이 생각하는 바를 아노라 22 그러므로 모세가 그날 이 노래를 써서 이스라엘 자손들에게 가르쳤더라

21 And when many disasters and calamities come on them, this song will testify against them, because it will not be forgotten by their descendants. I know what they are disposed to do, even before I bring them into the land I promised them on oath." 22 So Moses wrote down this song that day and taught it to the Israelites.

23 여호와께서 또 눈의 아들 여호수아에게 명령하여 이르시되 너는 이스라엘 자손들을 인도하여 내가 그들에게 맹세한 땅으로 들어가게 하리니 강하고 담대하라 내가 너와 함께하리라 하시니라

23 The LORD gave this command to Joshua son of Nun: "Be strong and courageous, for you will bring the Israelites into the land I promised them on oath, and I myself will be with you."

언약궤(25절) 하나님의 임재를 상징하는 장방형의 상자로, 언약궤 안에는 십계명을 새긴 두 돌판과 만나 항아리, 아론의 지팡이가 있었다.

24 모세가 이 율법의 말씀을 다 책에 써서 마친 후에 25 모세가 여호와의 언약궤를 메는 레위 사람에게 명령하여

오늘의 찬송 (새 202 통 241 하나님 아버지 주신 책은)

(경배와 찬양) 영광을 돌리세 우리 하나님께 존귀와 위엄과 능력과 아름다움 만방의 모든 신은 헛된 우상이니 오직 하늘의 하나님 그 영광 찬양해 주님의 영광 모든 나라 위에 주님의 영광 온 세계 위에 하늘에 계신 우리 아버지 영광 찬양해 우리 주님 나라 영원하리라 우리 주님 뜻은 이뤄지리라

이르되 26 이 율법책을 가져다가 너희 하나님 여호와의 언약궤 곁에 두어 너희에게 증거가 되게 하라

24 After Moses finished writing in a book the words of this law from beginning to end, 25 he gave this command to the Levites who carried the ark of the covenant of the LORD: 26 "Take this Book of the Law and place it beside the ark of the covenant of the LORD your God. There it will remain as a witness against you.

27 내가 너희의 반역함과 목이 곧은 것을 아나니 오늘 내가 살아서 너희와 함께 있어도 너희가 여호와를 거역하였거든 하물며 내가 죽은 후의 일이랴

27 For I know how rebellious and stiff-necked you are. If you have been rebellious against the LORD while I am still alive and with you, how much more will you rebel after I die!

28 너희 지파 모든 장로와 관리들을 내 앞에 모으라 내가 이 말씀을 그들의 귀에 들려주고 그들에게 하늘과 땅을 증거로 삼으리라

28 Assemble before me all the elders of your tribes and all your officials, so that I can speak these words in their hearing and call the heavens and the earth to testify against them.

29 내가 알거니와 내가 죽은 후에 너희가 스스로 부패하여 내가 너희에게 명령한 길을 떠나 여호와의 목전에 악을 행하여 너희의 손으로 하는 일로 그를 격노하게 하므로 너희가 후일에 재앙을 당하리라 하니라

29 For I know that after my death you are sure to become utterly corrupt and to turn from the way I have commanded you. In days to come, disaster will fall on you because you will do evil in the sight of the LORD and arouse his anger by what your hands have made."

오늘의 말씀 요약

하나님은 모세에게 노래를 기록해 이스라엘 자손에게 가르치라 명하십니다. 이 노래는 그들이 수많은 재앙과 환난을 당할 때 그들 앞에 증인처럼 될 것입니다. 모세가 율법의 말씀을 쓴 율법책을 언약궤 곁에 두게 하고, 하늘과 땅을 증거 삼아 지파의 모든 장로와 관리에게 이 말씀을 들려줍니다.

노래를 써서 증거 삼으라
31:19~23

불순종이 가져올 비극적 결과에 대해 끊임없이 경고받을 장치가 있다는 것은 복입니다. 미래 이스라엘의 불순종과 배반을 꿰뚫어 보신 하나님은 모세에게 노래를 기록해 백성이 부르게 하라고 명하십니다. 이 노래(32:1~43)는 장차 이스라엘이 다른 신을 섬기고 하나님과의 언약을 깨뜨려 재앙과 환난을 당할 때 증거와 증인이 될 것입니다. 결국 이스라엘은 패역함으로 징계받는 것이 하나님의 공의임을 알게 될 것입니다. 그럼에도 인간의 실패가 하나님의 구원 역사를 가로막지는 못합니다. 긍휼이 풍성하신 하나님은 인간이 아무리 패역하고 완악할지라도 친히 언약을 성취해 가십니다. 구원의 은혜는 인간의 행위가 아닌 하나님의 신실하심에 근거합니다.

하나님은 왜 모세에게 노래를 써서 이스라엘에게 가르치라고 명하시나요? 불순종할 때마다 나를 일깨우는 장치가 있다면 무엇인가요?

모세가 기록한 율법의 말씀
31:24~29

사람은 유한하지만 하나님 말씀은 영원합니다. 광야 40년간 이스라엘의 강퍅함과 완악함을 직접 경험했던 모세는 그들의 어두운 미래에 대한 하나님 말씀을 듣고 이를 비장한 마음으로 전달합니다. 모세는 자신이 선포한 언약의 말씀을 책에 기록한 다음, 언약궤를 메는 레위 사람에게 보관하도록 지시합니다. 그리고 모든 장로와 관리를 모아 율법의 말씀을 들려줍니다. 순종의 축복과 불순종의 저주에 대한 지속적인 깨우침만이 백성을 잘못된 길에서 돌이키는 방도입니다. 하나님 말씀은 삶의 절대 지침이자 바른길로 인도하는 나침반입니다. 누구든지 말씀을 떠나면 쉽게 죄의 길로 행하고, 결국 하나님의 진노로 재앙을 당하게 됩니다. 언약 백성의 밝은 미래와 말씀에 대한 절대 순종은 불가분리의 관계입니다.

모세는 언약궤를 메는 레위 사람에게 율법의 말씀을 어떻게 하라고 명령했나요? 나와 공동체의 어두운 미래를 소망의 미래로 바꾸는 비결은 무엇일까요?

| 오늘의 기도 | 배가 부르면 하나님을 찾지 않고 목을 꼿꼿이 세우는 저였음을 고백합니다. 이제 날마다 하나님 앞에서 말씀을 묵상하고 기록하며 기억하겠습니다. 세상 염려와 유혹이 몰려와도 하나님이 주신 말씀을 증거의 노래 삼아 부르며 넉넉히 승리하게 하소서. |

말씀의 자기 주도 학습

믿음은 동사다/
조성현

요즘 '자기 주도'(self-directed)에 관한 관심이 높습니다. 특히 학생 자녀를 둔 부모의 관심이 큽니다. 자기 주도 학습이란, 말 그대로 부모가 '공부하라'고 해서 공부하는 것이 아니라 자신이 주도적으로 배운 것을 정리하며 예습과 복습을 하는 것을 가리킵니다. 모든 학생이 이렇게 공부한다면 부모 자식 관계가 얼마나 좋겠습니까?

하나님 말씀을 듣는 우리의 자세는 어떻습니까? 수동적으로 받아먹기만 하지 않습니까? 성숙한 성도일수록 하나님 말씀을 스스로 밑줄 쳐 가며 읽고, 소화하고, 공부합니다. 하나님 아버지께서 원하시는 모습이 이런 것 아니겠습니까? 하나님은 그분의 자녀들이 스스로 말씀을 읽고, 공부하고, 연구하는 모습을 기대하실 것입니다. 하나님의 기대는 거기서 끝나지 않습니다. 우리가 말씀을 삶에 구체적으로 적용하는 데까지 나아가기를 바라십니다.

매일 삶 속에서 하나님 말씀의 역사를 체험하며 살기 원합니까? 하나님 말씀을 이해하고, 말씀 앞에서 회개하고 기뻐하며, 말씀에 순종할 때 우리 삶 가운데 그 말씀이 실제로 역사할 것입니다. 깨달음과 기쁨과 순종으로의 변화는 곧 지정의(知情意)의 변화입니다. 하나님의 진리에 사로잡혀야 우리는 비로소 변화될 수 있습니다. _두란노

한절 묵상

우리는 옛 기억들을
마음에 품고
깨끗이 모양을 다듬어
오늘의 삶 속에서
더 빛나게 해야 한다.
— 딘 더한

신명기 31장 23절 | 여호수아는 모세의 뒤를 이어 이스라엘을 약속의 땅으로 이끄는 중책을 맡았습니다. 그는 수많은 백성을 가나안 땅으로 인도해야 합니다. 모세도 하지 못한 일, 두려움과 걱정이 앞서는 일입니다. 그래서 하나님은 여호수아에게 "내가 너와 함께하겠다."라는 약속을 주시며 강하고 담대하라고 명하십니다. 하나님이 함께하심이 성도의 능력과 용기입니다. 하나님만 함께하시면 우리에게 두려울 것이 없습니다. 송병현/「엑스포지멘터리 신명기」

17 · 높은 사랑으로 이끄신 은혜의 자취를 기억하라

신명기 31:30~32:14

30 그리고 모세가 이스라엘 총회에 이 노래의 말씀을 끝까지 읽어 들리니라

30 And Moses recited the words of this song from beginning to end in the hearing of the whole assembly of Israel:

1 하늘이여 귀를 기울이라 내가 말하리라 땅은 내 입의 말을 들을지어다 2 내 교훈은 비처럼 내리고 내 말은 이슬처럼 맺히나니 연한 풀 위의 가는 비 같고 채소 위의 단비 같도다

1 Listen, you heavens, and I will speak; hear, you earth, the words of my mouth. 2 Let my teaching fall like rain and my words descend like dew, like showers on new grass, like abundant rain on tender plants.

3 내가 여호와의 이름을 전파하리니 너희는 우리 하나님께 위엄을 돌릴지어다 4 그는 반석이시니 그가 하신 일이 완전하고 그의 모든 길이 정의롭고 진실하고 거짓이 없으신 하나님이시니 공의로우시고 바르시도다

3 I will proclaim the name of the LORD. Oh, praise the greatness of our God! 4 He is the Rock, his works are perfect, and all his ways are just. A faithful God who does no wrong, upright and just is he.

5 그들이 여호와를 향하여 악을 행하니 하나님의 자녀가 아니요 흠이 있고 삐뚤어진 세대로다 6 어리석고 지혜 없는 백성아 여호와께 이같이 보답하느냐 그는 네 아버지시요 너를 지으신 이가 아니시냐 그가 너를 만드시고 너를 세우셨도다

5 They are corrupt and not his children; to their shame they are a warped and crooked generation. 6 Is this the way you repay the LORD, you foolish and unwise people? Is he not your Father, your Creator, who made you and formed you?

7 옛날을 기억하라 역대의 연대를 생각하라 네 아버지에게 물으라 그가 네게 설명할 것이요 네 어른들에게 물으라 그들이 네게 말하리로다

7 Remember the days of old; consider the generations long past. Ask your father and he will tell you, your elders, and they will explain to you.

8 지극히 높으신 자가 민족들에게 기업을 주실 때에, 인

오늘의 찬송 (새 435 통 492 나의 영원하신 기업)

나의 영원하신 기업 생명보다 귀하다 나의 갈 길 다 가도록 나와 동행하소서/ 세상 부귀 안일함과 모든 명예 버리고 험한 길을 가는 동안 나와 동행하소서/ 어둔 골짝 지나가며 험한 바다 건너서 천국 문에 이르도록 나와 동행하소서/ (후렴) 주께로 가까이 주께로 가오니 나의 갈 길 다 가도록 나와 동행하소서 아멘

종을 나누실 때에 이스라엘 자손의 수효대로 백성들의 경계를 정하셨도다 9 여호와의 분깃은 자기 백성이라 야곱은 그가 택하신 기업이로다

8 When the Most High gave the nations their inheritance, when he divided all mankind, he set up boundaries for the peoples according to the number of the sons of Israel. 9 For the LORD's portion is his people, Jacob his allotted inheritance.

10 여호와께서 그를 황무지에서, 짐승이 부르짖는 광야에서 만나시고 호위하시며 보호하시며 자기의 눈동자같이 지키셨도다 11 마치 독수리가 자기의 보금자리를 어지럽게 하며 자기의 새끼 위에 너풀거리며 그의 날개를 펴서 새끼를 받으며 그의 날개 위에 그것을 업는 것같이 12 여호와께서 홀로 그를 인도하셨고 그와 함께한 다른 신이 없었도다

10 In a desert land he found him, in a barren and howling waste. He shielded him and cared for him; he guarded him as the apple of his eye, 11 like an eagle that stirs up its nest and hovers over its young, that spreads its wings to catch them and carries them aloft. 12 The LORD alone led him; no foreign god was with him.

13 여호와께서 그가 땅의 높은 곳을 타고 다니게 하시며 밭의 소산을 먹게 하시며 반석에서 꿀을, 굳은 반석에서 기름을 빨게 하시며 14 소의 엉긴 젖과 양의 젖과 어린양의 기름과 바산에서 난 숫양과 염소와 지극히 아름다운 밀을 먹이시며 또 포도즙의 붉은 술을 마시게 하셨도다

13 He made him ride on the heights of the land and fed him with the fruit of the fields. He nourished him with honey from the rock, and with oil from the flinty crag, 14 with curds and milk from herd and flock and with fattened lambs and goats, with choice rams of Bashan and the finest kernels of wheat. You drank the foaming blood of the grape.

오늘의 말씀 요약

모세가 총회에서 노래의 말씀을 읽습니다. 하나님이 하신 일은 완전하고 그분의 모든 길은 정의롭습니다. 하나님의 분깃은 그분의 백성, 야곱입니다. 하나님은 그를 황무지에서 눈동자같이 지키시고 독수리처럼 인도하셨습니다. 밭의 소산, 반석에서 난 꿀, 가축의 젖과 고기 등으로 먹이셨습니다.

바산(14절) '비옥한 땅'이란 뜻으로, 길르앗과 헬몬산의 중간에 위치한 평야 지대를 가리킨다. 기름지고 초목이 무성해 밀 농사와 낙농업이 크게 발달했다.

본문 해설

삐뚤어진 세대를 위한 교훈
31:30~32:6

하나님 말씀은 이슬과 비처럼 우리 영혼을 만족하게 합니다. 모세의 노래(32:1~43)는 이스라엘의 미래에 대한 예고이자 지속적인 헌신을 촉구하는 언약 갱신의 일환입니다. 모세가 전하는 교훈은 가뭄에 내리는 단비와 이슬처럼 이스라엘에게 유익합니다. 하나님 백성은 하나님이 어떤 분이신지 잘 알아야 합니다. 하나님은 완전하시고 진실하시며 공의로우십니다. 반석이신 하나님은 말씀에 순종하는 백성에게 견고한 미래를 약속하십니다. 그러나 이스라엘은 아버지 되신 하나님께 악으로 보답하는 삐뚤어진 세대입니다. 불신앙과 불순종은 어리석고 지혜 없는 사람의 속성입니다. 창조주요 구속주 되신 하나님을 향한 보답은 사랑과 순종입니다.

모세의 노래가 단비와 이슬로 묘사되는 이유는 무엇인가요? 나를 지으시고 구속하신 주님께 나는 어떻게 보답하나요?

옛날의 은혜를 기억하라
32:7~14

택하신 백성을 향한 하나님의 크고 놀라운 사랑은 끝이 없습니다. 광야 40년 동안 이스라엘은 도처에서 기적을 목격했습니다. 초자연적인 구름기둥과 불기둥의 인도를 받았고, 초자연적인 양식(만나와 메추라기)을 먹었습니다. 그럼에도 그들은 감사하지 않고 끊임없이 반역하고 불순종했습니다. 공의의 잣대로 보면 이스라엘은 멸절되어야 마땅하지만, 자비하신 하나님은 마치 독수리가 그 날개 위에 새끼를 업어 나르듯 이스라엘을 보호하시고, 수많은 위험에서 눈동자같이 지켜 주셨습니다. 그리고 가나안 땅으로 인도해 그들의 필요를 좋은 것으로 풍성히 채워 주셨습니다. 성도는 하나님의 분깃이요 기업입니다. 하나님은 어떤 경우에도 우리를 포기하지 않으시고 큰 능력과 사랑으로 친히 보살펴 주십니다.

하나님은 척박한 광야에서 이스라엘 백성을 어떻게 보호하셨나요? 하나님은 지금까지 내 삶을 어떻게 지키시고 인도하셨나요?

오늘의 기도
일상의 소음을 뒤로하고 세미하게 들려주시는 주님의 교훈을 단비같이 받아 누리길 원합니다. 저를 자녀 삼으시고 여기까지 세워 주신 아버지! 흠 있고 삐뚤어진 이 세대를 좇지 않고, 저를 눈동자같이 지키시며 가장 좋은 곳으로 인도하시는 하나님의 사랑만 신뢰하게 하소서.

우리를 영원히 보호하실 분

춤추는 예배자
솔로몬의 축복/
김병태

짐 발바노는 비전과 열정의 사람이었다. 현역 시절 미국 대학 농구 리그(NCAA) 최고 선수였던 그는 코치가 되어서도 특유의 리더십으로 여러 위업을 달성했다. 특히 1983년 NCAA 토너먼트 결승전에서 그가 이끄는 노스캐롤라이나주립대학 팀이 당시 최강 휴스턴대학 팀을 꺾고 우승한 일은 전설로 남았다. 농구 코치를 그만둔 후 방송 해설자로도 명성을 날리던 그는 절정의 인기를 누리던 1992년, 치료가 불가능한 뼈암에 걸렸다. 그런데도 유약한 모습을 보이거나 절망에 빠지지 않았다. 그는 이런 말을 남겼다. "여러분도 알다시피 제 몸은 암의 공격을 받아 파괴되고 있습니다. 그러나 암이 제 영혼까지 건드리지는 못할 것입니다. 지금까지 저와 함께하신 하나님이 제 영혼을 지키실 것이기 때문입니다. 경기장에서 어떤 강적 앞에서도 물러서지 않았던 것처럼, 저는 이 싸움을 결코 포기하지 않을 것입니다. 저는 최후 승리를 확신합니다. 제게 맡겨진 사명을 다하고 죽은 뒤에는 천국에 가게 될 것이기 때문입니다." 그는 가장 고통스럽다는 암과 투병하며 죽어 가는 중에도 강건했다. 마지막 순간까지 하나님을 신뢰하면서 아름답게 삶을 마쳤다.

하나님의 큰 은혜를 누리고도 작은 고난에 원망하는 사람이 있는가 하면, 큰 고통에도 굴하지 않고 하나님을 높이는 사람이 있다. 삶이 끝나는 순간이 올지라도 하나님을 변함없이 따르는 것이 바로 믿음이다. _브니엘

한절 묵상

하나님의 구원은
자유와
거룩한 보호,
두 가지 모두를
제공한다.

– 존 맥아더

신명기 32장 2, 4절 | 신명기의 교훈을 따르는 자는 누구든, 연한 풀과 채소가 비와 이슬로 소생되듯 살아나 결실이 풍부할 것입니다. 이러한 교훈의 기초는 하나님의 성품과 사역입니다. 하나님은 사람이 아니시기에 거짓이나 실수가 없으십니다. 그분은 항상 안정되고 불변하시며, 공정하고 진실하십니다. 그러므로 모든 인생이 안정된 삶을 누리는 유일한 방법은 하나님, 즉 위대하신 '반석'에 매달리는 것입니다. 잭 디어/「BKC 강해 주석 3 민수기·신명기」

18 · 하나님을 저버림이 실패의 이유입니다

신명기 32:15~36

15 그런데 여수룬이 기름지매 발로 찼도다 네가 살찌고 비대하고 윤택하매 자기를 지으신 하나님을 버리고 자기를 구원하신 반석을 업신여겼도다

15 Jeshurun grew fat and kicked; filled with food, they became heavy and sleek. They abandoned the God who made them and rejected the Rock their Savior.

16 그들이 다른 신으로 그의 질투를 일으키며 가증한 것으로 그의 진노를 격발하였도다

16 They made him jealous with their foreign gods and angered him with their detestable idols.

17 그들은 하나님께 제사하지 아니하고 귀신들에게 하였으니 곧 그들이 알지 못하던 신들, 근래에 들어온 새로운 신들 너희의 조상들이 두려워하지 아니하던 것들이로다

17 They sacrificed to false gods, which are not God— gods they had not known, gods that recently appeared, gods your ancestors did not fear.

18 너를 낳은 반석을 네가 상관하지 아니하고 너를 내신 하나님을 네가 잊었도다

18 You deserted the Rock, who fathered you; you forgot the God who gave you birth.

여수룬(15절) '의로운 자'란 뜻으로, 이스라엘을 명예롭게 일컫는 시적 표현이다. 여기서는 이스라엘의 타락과 죄악을 드러내는 데 풍자적으로 사용되었다.

19 그러므로 여호와께서 보시고 미워하셨으니 그 자녀가 그를 격노하게 한 까닭이로다

19 The LORD saw this and rejected them because he was angered by his sons and daughters.

오늘의 찬송 (새 290 통 412 우리는 주님을 늘 배반하나)

(경배와 찬양) 마음속에 어려움이 있을 때(x3) 주님 내게 먼저 오사 내 맘을 만지고/ 주님 앞에 나아올 수 없을 때(x3) 주님 날 먼저 안으시네/ 그럼에도 불구하고 날 사랑하시는 내 하나님의 사랑은 나의 모든 걸 덮고 그럼에도 불구하고 날 안아 주시는 내 하나님을 부를 때 아버지라 부르죠(x2)

---

20 그가 말씀하시기를 내가 내 얼굴을 그들에게서 숨겨 그들의 종말이 어떠함을 보리니 그들은 심히 패역한 세대요 진실이 없는 자녀임이로다

20 "I will hide my face from them," he said, "and see what their end will be; for they are a perverse generation, children who are unfaithful.

21 그들이 하나님이 아닌 것으로 내 질투를 일으키며 허무한 것으로 내 진노를 일으켰으니 나도 백성이 아닌 자로 그들에게 시기가 나게 하며 어리석은 민족으로 그들의 분노를 일으키리로다

21 They made me jealous by what is no god and angered me with their worthless idols. I will make them envious by those who are not a people; I will make them angry by a nation that has no understanding.

22 그러므로 내 분노의 불이 일어나서 스올의 깊은 곳까지 불사르며 땅과 그 소산을 삼키며 산들의 터도 불타게 하는도다

22 For a fire will be kindled by my wrath, one that burns down to the realm of the dead below. It will devour the earth and its harvests and set afire the foundations of the mountains.

23 내가 재앙을 그들 위에 쌓으며 내 화살이 다할 때까지 그들을 쏘리로다

23 "I will heap calamities on them and spend my arrows against them.

24 그들이 주리므로 쇠약하며 불 같은 더위와 독한 질병에 삼켜질 것이라 내가 들짐승의 이와 티끌에 기는 것의 독을 그들에게 보내리로다

24 I will send wasting famine against them, consuming pestilence and deadly plague; I will send against them the fangs of wild beasts, the venom of vipers that glide in the dust.

스올(22절) 무덤, 땅 밑 세계, 형벌과 고난의 장소 등을 의미한다. 성경에서 '음부'로도 번역되었다.

(뒷면으로 이어집니다)

105

25 밖으로는 칼에, 방 안에서는 놀람에 멸망하리니 젊은 남자도 처녀도 백발노인과 함께 젖 먹는 아이까지 그러하리로다

25 In the street the sword will make them childless; in their homes terror will reign. The young men and young women will perish, the infants and those with gray hair.

26 내가 그들을 흩어서 사람들 사이에서 그들에 대한 기억이 끊어지게 하리라 하였으나

26 I said I would scatter them and erase their name from human memory,

27 혹시 내가 원수를 자극하여 그들의 원수가 잘못 생각할까 걱정하였으니 원수들이 말하기를 우리의 수단이 높으며 여호와가 이 모든 것을 행함이 아니라 할까 염려함이라

27 but I dreaded the taunt of the enemy, lest the adversary misunderstand and say, 'Our hand has triumphed; the LORD has not done all this.'"

28 그들은 모략이 없는 민족이라 그들 중에 분별력이 없도다

28 They are a nation without sense, there is no discernment in them.

29 만일 그들이 지혜가 있어 이것을 깨달았으면 자기들의 종말을 분별하였으리라

29 If only they were wise and would understand this and discern what their end will be!

30 그들의 반석이 그들을 팔지 아니하였고 여호와께서 그들을 내주지 아니하셨더라면 어찌 하나가 천을 쫓으며 둘이 만을 도망하게 하였으리요

30 How could one man chase a thousand, or two put ten thousand to flight, unless their Rock had sold them, unless the LORD had given them up?

31 진실로 그들의 반석이 우리의 반석과 같지 아니하니
우리의 원수들이 스스로 판단하도다

31 For their rock is not like our Rock, as even our enemies concede.

32 이는 그들의 포도나무는 소돔의 포도나무요 고모라
의 밭의 소산이라 그들의 포도는 독이 든 포도이니 그
송이는 쓰며

32 Their vine comes from the vine of Sodom and from the fields of Gomorrah.
Their grapes are filled with poison, and their clusters with bitterness.

33 그들의 포도주는 뱀의 독이요 독사의 맹독이라

33 Their wine is the venom of serpents, the deadly poison of cobras.

34 이것이 내게 쌓여 있고 내 곳간에 봉하여 있지 아니한가

34 "Have I not kept this in reserve and sealed it in my vaults?

35 그들이 실족할 그때에 내가 보복하리라 그들의 환난
날이 가까우니 그들에게 닥칠 그 일이 속히 오리로다

35 It is mine to avenge; I will repay. In due time their foot will slip; their day of
disaster is near and their doom rushes upon them."

36 참으로 여호와께서 자기 백성을 판단하시고 그 종들
을 불쌍히 여기시리니 곧 그들의 무력함과 갇힌 자나 놓
인 자가 없음을 보시는 때에로다

36 The LORD will vindicate his people and relent concerning his servants when
he sees their strength is gone and no one is left, slave or free.

오늘의 말씀 요약

이스라엘이 윤택해지면 하나님을 버리고 다른 신을 섬길 것입니다. 하나님
이 분노하시니 백성이 주리고 쇠약해지며 원수의 칼에 망합니다. 그러나 이
스라엘은 지혜가 없어 종말을 분별하지 못합니다. 그럼에도 하나님은 원수
들이 실족할 때 보복하시며, 이스라엘을 불쌍히 여기실 것입니다.

이스라엘의 배반, 하나님의 진노

32:15~26

영적 태만과 방종은 부와 형통을 누릴 때 나타나기 쉽습니다. 모세는 이스라엘(여수룬)이 가나안에서 부요하고 윤택해지면 그들을 구원하신 하나님(반석)을 버릴 것이라고 경고합니다. 그들은 하나님보다 물질을 우선시하고 다른 신들을 섬길 것입니다. 그때 하나님은 패역한 백성에게 격노하시고 그 얼굴을 숨기실 것입니다. 하나님 진노의 불이 땅과 그 소산물에 임하며, 재앙·질병·독·전쟁 등으로 백성을 멸절시키고 사방으로 흩어 사람들 기억에서 사라지게 할 것입니다. 하나님이 얼굴을 숨기시는 것만큼 두려운 일은 없습니다. 은혜와 평강은 하나님을 사랑으로 섬기는 자들에게 주어집니다. 성도는 풍요와 형통을 누릴 때일수록 하나님을 찾고 구하는 갈급함을 잃지 말아야 합니다.

이스라엘이 후일 부요해져서 하나님을 잊고 다른 신들을 섬기면 그 결과가 어떠할까요? 형통할 때 영적으로 태만해지지 않는 비결은 무엇일까요?

지혜 없는 민족과 교만한 원수들

32:27~36

승리와 패배의 주관자는 하나님입니다. 이를 알고 하나님을 경외하고 의지하는 것이 지혜입니다. 하나님은 이스라엘을 잠시 징계하는 도구로 원수(대적)를 일으키십니다. 하나님을 모르는 원수들은 이스라엘의 실패를 보고 '하나가 천을 쫓으며 둘이 만을 도망하게 한' 전과가 자신들의 힘과 지혜의 결과인 양 우쭐댑니다(30절). 그러나 교만한 원수들도 곧 넘어질 것입니다. 언약 백성의 흥망성쇠는 전능하신 하나님 손에 있습니다. 이스라엘의 진짜 원수는 외부가 아닌 내부에 있습니다. 침략자들이 아닌, 하나님을 저버린 우상숭배가 멸망의 이유입니다. 하나님 관점으로 바르게 보고 해석해야 잘못에서 돌이켜 바른길로 행할 수 있습니다.

이스라엘을 이긴 원수들은 승리의 이유를 무엇으로 볼까요? 하나님 관점에서 볼 때 내가 고난당하는 이유는 무엇일까요?

오늘의 기도
겉으로 보이는 풍요와 형통에 취해 하나님 은혜를 저버린 저의 교만을 회개합니다. 인생의 승패는 오직 하나님과의 관계에서 결정됨을 절실히 깨닫게 하소서. 하나님의 질투와 진노를 일으키는 죄악을 불사르고 참된 지혜와 분별력을 구하는 저와 교회 되게 하소서.

일상의 복

기도가 시작이다/
최영식

한 형제와 교제 중인 어떤 자매의 고백을 들은 적이 있습니다. 자매를 무척 좋아했던 그 형제는 자매가 아무리 쌀쌀맞게 굴어도 한결같이 친절했습니다. 어느 날 자매가 이제는 좀 형제에게 잘해 주어야겠다 싶어 여태와는 다르게 자상하게 대해 주었답니다. 그러기를 한두 달 하니 형제의 태도가 반대로 변했습니다. 불만과 요구 사항이 더 많아지더라는 것입니다. 그러면서 처음에 보여 주었던 그 형제의 마음 씀씀이와 긴장감이 아쉽다고 토로했습니다. 이는 남녀 간의 문제만이 아닙니다.

인간의 가장 큰 허물은 축복이 계속되면 그것을 더는 축복으로 생각하지 않는다는 것입니다. 축복을 당연하게 생각하면 축복이 재앙으로 변하는 날이 옵니다. 일상(日常), 즉 매일이 같다는 것은 축복이지 불평거리가 아닙니다. 만약 평소 같은 일상이 아니면 비상(非常)이라는 말인데, 그것은 결코 즐겁게 맞이할 일이 아닙니다.

일상의 평온이 유지될 때 인간이 해야 할 일은 예배입니다. 하나님 말씀이 우리를 끊임없이 자극하고 인생 줄을 팽팽하게 당겨 주기 때문입니다. 일상의 복을 복으로 알아야 합니다. 늘 같은 일상을 사는 것이 권태롭고 지루하고 재미없다면, 내 영혼이 사치에 물든 줄 알아야 합니다. 예배와 말씀 묵상과 기도로 일상을 꾸려 나갈 때 우리가 당연하게 생각한 것 중 정말로 당연한 것은 아무것도 없음을 깨닫게 될 것입니다. _홍성사

한절 묵상

은혜가 있으면
선을 행할 수 있지만,
은혜가 없으면
우리는 오직 죄만
행할 뿐이다.

– 로렌스 형제

신명기 32장 15절 | 이스라엘은 부유하게 되면 어리석게도 하나님을 잊을 것입니다. '발로 찼도다', '업신여겼도다'라는 표현은 하나님을 향한 극한 패역을 묘사합니다. 예나 지금이나 물질주의는 탕자의 길로 행하게 합니다. 배불러서 하나님을 모른다고 하지 않도록 오늘 우리에게도 "나를 가난하게도 마옵시고 부하게도 마옵시고 오직 필요한 양식으로 나를 먹이시옵소서"(잠 30:8)라는 기도가 필요합니다. 성도는 물질을 하나님의 자리에 두지 않도록 주의해야 합니다.

19 · 열방의 찬송을 받으실 생사화복의 주권자

신명기 32:37~52

37 또한 그가 말씀하시기를 그들의 신들이 어디 있으며 그들이 피하던 반석이 어디 있느냐

37 He will say: "Now where are their gods, the rock they took refuge in,

38 그들의 제물의 기름을 먹고 그들의 전제의 제물인 포도주를 마시던 자들이 일어나 너희를 돕게 하고 너희를 위해 피난처가 되게 하라

38 the gods who ate the fat of their sacrifices and drank the wine of their drink offerings? Let them rise up to help you! Let them give you shelter!

39 이제는 나 곧 내가 그인 줄 알라 나 외에는 신이 없도다 나는 죽이기도 하며 살리기도 하며 상하게도 하며 낫게도 하나니 내 손에서 능히 빼앗을 자가 없도다

39 "See now that I myself am he! There is no god besides me. I put to death and I bring to life, I have wounded and I will heal, and no one can deliver out of my hand.

40 이는 내가 하늘을 향하여 내 손을 들고 말하기를 내가 영원히 살리라 하였노라

40 I lift my hand to heaven and solemnly swear: As surely as I live forever,

오늘의 찬송 (새 267 통 201 주의 확실한 약속의 말씀 듣고)
주의 확실한 약속의 말씀 듣고 주만 믿으면 구원을 얻으리라/ 나의 갈 길이 험
하고 위험하나 항상 예수의 도우심 믿고 가네/ (후렴) 할렐루야 할렐루야 내가
예수를 믿어 그의 흘리신 피로 내 죄 씻었네 할렐루야 할렐루야 내가 예수를 믿
어 그의 흘리신 피로 내 죄 씻었네

41 내가 내 번쩍이는 칼을 갈며 내 손이 정의를 붙들고
내 대적들에게 복수하며 나를 미워하는 자들에게 보응
할 것이라

41 when I sharpen my flashing sword and my hand grasps it in judgment, I will
take vengeance on my adversaries and repay those who hate me.

42 내 화살이 피에 취하게 하고 내 칼이 그 고기를 삼키
게 하리니 곧 피살자와 포로 된 자의 피요 대적의 우두
머리의 머리로다

42 I will make my arrows drunk with blood, while my sword devours flesh: the
blood of the slain and the captives, the heads of the enemy leaders."

43 너희 민족들아 주의 백성과 즐거워하라 주께서 그 종
들의 피를 갚으사 그 대적들에게 복수하시고 자기 땅과
자기 백성을 위하여 속죄하시리로다

43 Rejoice, you nations, with his people, for he will avenge the blood of his
servants; he will take vengeance on his enemies and make atonement for his
land and people.

44 모세와 눈의 아들 호세아가 와서 이 노래의 모든 말
씀을 백성에게 말하여 들리니라

44 Moses came with Joshua son of Nun and spoke all the words of this song
in the hearing of the people.

(뒷면으로 이어집니다)

45 모세가 이 모든 말씀을 온 이스라엘에게 말하기를 마치고

45 When Moses finished reciting all these words to all Israel,

46 그들에게 이르되 내가 오늘 너희에게 증언한 모든 말을 너희의 마음에 두고 너희의 자녀에게 명령하여 이 율법의 모든 말씀을 지켜 행하게 하라

46 he said to them, "Take to heart all the words I have solemnly declared to you this day, so that you may command your children to obey carefully all the words of this law.

47 이는 너희에게 헛된 일이 아니라 너희의 생명이니 이 일로 말미암아 너희가 요단을 건너가 차지할 그 땅에서 너희의 날이 장구하리라

47 They are not just idle words for you—they are your life. By them you will live long in the land you are crossing the Jordan to possess."

48 바로 그날에 여호와께서 모세에게 말씀하여 이르시되

48 On that same day the LORD told Moses,

49 너는 여리고 맞은편 모압 땅에 있는 아바림산에 올라가 느보산에 이르러 내가 이스라엘 자손에게 기업으로 주는 가나안 땅을 바라보라

49 "Go up into the Abarim Range to Mount Nebo in Moab, across from Jericho, and view Canaan, the land I am giving the Israelites as their own possession.

50 네 형 아론이 호르산에서 죽어 그의 조상에게로 돌아간 것같이 너도 올라가는 이 산에서 죽어 네 조상에게로 돌아가리니

50 There on the mountain that you have climbed you will die and be gathered to your people, just as your brother Aaron died on Mount Hor and was gathered to his people.

51 이는 너희가 신 광야 가데스의 므리바 물가에서 이스라엘 자손 중 내게 범죄하여 내 거룩함을 이스라엘 자손 중에서 나타내지 아니한 까닭이라

51 This is because both of you broke faith with me in the presence of the Israelites at the waters of Meribah Kadesh in the Desert of Zin and because you did not uphold my holiness among the Israelites.

52 네가 비록 내가 이스라엘 자손에게 주는 땅을 맞은편에서 바라보기는 하려니와 그리로 들어가지는 못하리라 하시니라

52 Therefore, you will see the land only from a distance; you will not enter the land I am giving to the people of Israel."

오늘의 말씀 요약

하나님 외에는 신이 없습니다. 하나님은 그분 종들의 피를 흘린 대적에게 복수하시며, 자기 백성을 위해 속죄하실 것입니다. 모세가 온 이스라엘에게 이 모든 말씀을 마음에 두고 자녀에게 지켜 행하게 하라 합니다. 그는 느보산에 올라 기업의 땅 가나안을 바라보기는 하나 그리로 들어가지는 못합니다.

나 외에는
다른 신이 없도다
32:37~47

하나님의 자비하심과 긍휼하심은 우리의 죄악보다 항상 큽니다. 전능하시고 신실하신 하나님은 이스라엘이 앞으로 범할 불순종과 반역에도 불구하고 그들 조상과 맺은 언약을 결코 폐기하지 않으시고 역사 속에서 성취하십니다. 이스라엘을 징계하기 위해 하나님이 일시적으로 사용하신 대적들은 때가 되면 행한 대로 보응을 받아 철저한 멸망에 이를 것입니다. 하나님만이 생사화복과 흥망성쇠를 주관하는 절대 전능자십니다(39절). 모세는 이스라엘에게 그가 증언한 '모든 말씀'을 마음에 새겨 두고 신실하게 지키며 자녀에게도 가르쳐 지키게 하라고 거듭 당부합니다. 하나님 말씀은 일점일획도 땅에 떨어져 없어지지 않습니다(마 5:18). 하나님 말씀을 굳게 붙드는 사람이라야 그분의 언약을 오래도록 누립니다.

하나님은 어떤 분이시며, 이스라엘을 괴롭힌 대적들의 운명은 어떻게 되나요? 하나님의 공의로운 판단을 의지하고 인내할 일은 무엇인가요?

바라보지만
들어가지는 못하리라
32:48~52

귀천이나 빈부와 관계없이 누구에게나 인생의 끝이 찾아옵니다. 출애굽의 지도자, 이스라엘 건국의 아버지인 모세에게도 세상을 떠날 날이 임박했습니다. 그는 40년간 고군분투하며, 패역하고 완악한 백성을 가나안 땅 근처까지 이끌었습니다. 하나님은 모세에게 가나안 땅 전역을 바라볼 수 있는 느보산에 올라가라고 지시하십니다. 그는 가데스에서 물이 없다고 원망하는 백성에게 분노해 하나님의 명령을 어기고 지팡이로 반석을 두 번 치는 과오를 범했기에 가나안에 들어가지 못하게 되었습니다(민 20:2~13). 간절히 원해도 하나님이 허락하지 않으시면 이룰 수 없습니다. 하나님의 거절조차 기쁘게 받아들이는 것이 참된 순종입니다.

하나님이 모세에게 느보산에 올라가라 명하신 이유는 무엇일까요? 하나님이 부르시면 언제든 모든 것을 내려놓고 기쁨으로 떠날 준비가 되어 있나요?

| 오늘의 기도 | 하나님 말씀을 지켜 행하는 것이 생명이며, 결코 헛된 일이 아니라는 진리에서 오늘을 살아갈 힘을 얻습니다. 오직 말씀을 삶의 우선순위에 올려놓게 하소서. 아무리 간절해도 제 계획은 다 내려놓고 하나님의 옳으심을 인정하며 말씀에 순종하게 하소서. |

오늘의 말씀 한 절

인격의 제자 훈련/
박영선

우리는 성경을 깨치는 것과 기도하는 것에 대해 조급한 목표나 소원을 갖지 않도록 경계심을 갖고 성경 읽기와 기도를 날마다 해야 합니다. 충만하신 하나님, 부요하신 하나님, 넓고 크신 하나님에 대해 매일 차근차근 배워 나가는 겁니다. 그럴 때 '어디서, 무엇 때문에'라고 단정할 수는 없어도 하나님의 사람으로 쑥 커 있는 것을 볼 것입니다. 아이가 성장할 때 보약을 먹고 컸다든가, 비타민을 먹고 컸다는 말은 사실 이치에 맞지 않습니다. 보약은 아슬아슬할 때 한 번 먹는 것이지, 아무 때나 보약을 먹지 않습니다. 늘 먹는 그 밥으로 큽니다. 맛있는 것만으로도 아니고 가장 영양가 있는 것만으로도 아닙니다. 밥 먹고 김치 먹은 것이 머리카락도 되고, 치아와 뼈를 형성하는 것입니다. 이와 같이 날마다 읽는 말씀 한 절이 나중에 하나님과 나의 나 됨을 아는 총체적 힘과 영양과 분별력과 안목을 이룹니다.

　신자가 되는 것과 우리의 정체성을 튼튼하고 풍성하게 쌓아 가는 일을 위해 성경과 기도가 주어졌다는 것을 늘 기억해야 합니다. 우리는 매일매일 하나님 뜻을 아는 일에 게으르지 않아야 합니다. 그렇게 할 때 우리는 참다운 거룩함과 영광을 스스로 찾게 됩니다. 그리고 우리를 보는 이들이 우리 안에 있는 넘치는 새 생명으로 인해 그 거룩한 생명에 속하고자 하는 도전을 받을 것입니다. _복있는사람

한절 묵상

하나님 말씀과
날마다 동행하면
그분의 사랑이
우리를 변화와
구속으로 이끈다.

— 매트 챈들러

신명기 32장 46~47절 | 하나님 말씀은 귀로 듣는 것이 아니라 마음으로 들어야 합니다. 말씀을 마음에 두는 일은 결코 헛된 일이 아닙니다. 예나 지금이나 약속의 땅을 대대손손 누리는 비결은 말씀에 순종하는 것입니다. 하나님 말씀은 모든 세대를 위한 것입니다. 성인 세대는 먼저 모든 말씀에 순종하는 본을 보이고, 다음 세대에게 말씀을 가르쳐 지키게 해야 합니다. 말씀은 생명이며, 순종은 현 세대의 복이 다음 세대에게 흘러가게 하는 통로입니다.

20 · 언약에 근거한 아낌없는 축복

신명기 33:1~17

1 하나님의 사람 모세가 죽기 전에 이스라엘 자손을 위하여 축복함이 이러하니라
1 This is the blessing that Moses the man of God pronounced on the Israelites before his death.

2 그가 일렀으되 여호와께서 시내산에서 오시고 세일산에서 일어나시고 바란산에서 비추시고 일만 성도 가운데에 강림하셨고 그의 오른손에는 그들을 위해 번쩍이는 불이 있도다
2 He said: "The LORD came from Sinai and dawned over them from Seir; he shone forth from Mount Paran. He came with myriads of holy ones from the south, from his mountain slopes.

3 여호와께서 백성을 사랑하시나니 모든 성도가 그의 수중에 있으며 주의 발아래에 앉아서 주의 말씀을 받는도다
3 Surely it is you who love the people; all the holy ones are in your hand. At your feet they all bow down, and from you receive instruction,

4 모세가 우리에게 율법을 명령하였으니 곧 야곱의 총회의 기업이로다
4 the law that Moses gave us, the possession of the assembly of Jacob.

5 여수룬에 왕이 있었으니 곧 백성의 수령이 모이고 이스라엘 모든 지파가 함께한 때에로다
5 He was king over Jeshurun when the leaders of the people assembled, along with the tribes of Israel.

오늘의 찬송 (새 390 통 444 예수가 거느리시니)

(경배와 찬양) 주를 향한 나의 사랑을 주께 고백하게 하소서 아름다운 주의 그 늘 아래 살며 주를 보게 하소서 주님의 말씀 선포될 때에 땅과 하늘 진동하리니 나의 사랑 고백하리라 나의 구주 나의 친구

6 르우벤은 죽지 아니하고 살기를 원하며 그 사람 수가 적지 아니하기를 원하나이다

6 "Let Reuben live and not die, nor his people be few."

7 유다에 대한 축복은 이러하니라 일렀으되 여호와여 유 다의 음성을 들으시고 그의 백성에게로 인도하시오며 그의 손으로 자기를 위하여 싸우게 하시고 주께서 도우 사 그가 그 대적을 치게 하시기를 원하나이다

7 And this he said about Judah: "Hear, LORD, the cry of Judah; bring him to his people. With his own hands he defends his cause. Oh, be his help against his foes!"

8 레위에 대하여는 일렀으되 주의 둠밈과 우림이 주의 경 건한 자에게 있도다 주께서 그를 맛사에서 시험하시고 므리바 물가에서 그와 다투셨도다

8 About Levi he said: "Your Thummim and Urim belong to your faithful servant. You tested him at Massah; you contended with him at the waters of Meribah.

9 그는 그의 부모에게 대하여 이르기를 내가 그들을 보 지 못하였다 하며 그의 형제들을 인정하지 아니하며 그 의 자녀를 알지 아니한 것은 주의 말씀을 준행하고 주의 언약을 지킴으로 말미암음이로다

9 He said of his father and mother, 'I have no regard for them.' He did not recognize his brothers or acknowledge his own children, but he watched over your word and guarded your covenant.

둠밈과 우림(8절) 둠밈은 '완전함'(온전 함), 우림은 '빛'이라는 뜻이다. 재료나 모 양은 분명히 알려져 있지 않다. 제사장 이 하나님 뜻을 묻는 데 이것을 사용했다 (출 28:30).

(뒷면으로 이어집니다)

117

10 주의 법도를 야곱에게, 주의 율법을 이스라엘에게 가르치며 주 앞에 분향하고 온전한 번제를 주의 제단 위에 드리리로다

10 He teaches your precepts to Jacob and your law to Israel. He offers incense before you and whole burnt offerings on your altar.

11 여호와여 그의 재산을 풍족하게 하시고 그의 손의 일을 받으소서 그를 대적하여 일어나는 자와 미워하는 자의 허리를 꺾으사 다시 일어나지 못하게 하옵소서

11 Bless all his skills, LORD, and be pleased with the work of his hands. Strike down those who rise against him, his foes till they rise no more."

12 베냐민에 대하여는 일렀으되 여호와의 사랑을 입은 자는 그 곁에 안전히 살리로다 여호와께서 그를 날이 마치도록 보호하시고 그를 자기 어깨 사이에 있게 하시리로다

12 About Benjamin he said: "Let the beloved of the LORD rest secure in him, for he shields him all day long, and the one the LORD loves rests between his shoulders."

13 요셉에 대하여는 일렀으되 원하건대 그 땅이 여호와께 복을 받아 하늘의 보물인 이슬과 땅 아래에 저장한 물과

13 About Joseph he said: "May the LORD bless his land with the precious dew from heaven above and with the deep waters that lie below;

14 태양이 결실하게 하는 선물과 태음이 자라게 하는 선
물과
14 with the best the sun brings forth and the finest the moon can yield;

15 옛 산의 좋은 산물과 영원한 작은 언덕의 선물과
15 with the choicest gifts of the ancient mountains and the fruitfulness of the
everlasting hills;

16 땅의 선물과 거기 충만한 것과 가시떨기나무 가운데
에 계시던 이의 은혜로 말미암아 복이 요셉의 머리에, 그
의 형제 중 구별한 자의 정수리에 임할지로다
16 with the best gifts of the earth and its fullness and the favor of him who dwelt
in the burning bush. Let all these rest on the head of Joseph, on the brow of the
prince among his brothers.

17 그는 첫 수송아지같이 위엄이 있으니 그 뿔이 들소의
뿔 같도다 이것으로 민족들을 받아 땅끝까지 이르리니
곧 에브라임의 자손은 만만이요 므낫세의 자손은 천천
이리로다
17 In majesty he is like a firstborn bull; his horns are the horns of a wild ox. With
them he will gore the nations, even those at the ends of the earth. Such are the
ten thousands of Ephraim; such are the thousands of Manasseh."

오늘의 말씀 요약
모세가 죽기 전 이스라엘 자손을 축복합니다. 그는 르우벤의 사람 수가 적
지 않길, 하나님이 유다의 음성을 들으시고 그가 대적을 치길, 레위의 재산이
풍족하고 그 손의 일을 받으시길 간구합니다. 베냐민이 하나님의 사랑과 보
호를 받길, 요셉은 산물과 자손이 번성하고 위엄 있길 축복합니다.

태음(14절) 음이 가장 왕성하게 드러나
는 단계를 가리키는 말로 '달'을 의미한다.

119

르우벤·유다 지파를 위한 축복
33:1~7

지도자의 마지막 말은 축복이어야 합니다. 죽음을 앞둔 모세가 이스라엘 자손을 위해 축복합니다. 그는 축복하기 전에 먼저 과거에 하나님이 율법을 수여하시기 위해 시내산에 강림하셨던 장엄하고 영광스러운 사건을 언급합니다. 하나님이 율법을 주신 것은 백성을 사랑하시기 때문입니다. 성도가 누릴 모든 은혜와 복은 말씀으로부터 흘러나옵니다. 모세는 르우벤 지파의 수가 줄어들지 않고 보존되기를 간구합니다. 이는 요단 동쪽 땅을 먼저 분배받은 이유로 가나안 정복 전쟁의 선봉에 서기 때문일 것입니다. 유다 지파에게는 지도자적 역할을 성실하게 수행할 수 있는 능력을 구합니다. 언약에 근거한 축복 메시지는 비전과 소망, 위로와 힘이 됩니다.

왜 모세는 이스라엘 자손을 축복하기 전에 시내산 사건을 먼저 언급했을까요? 내가 언약의 말씀에 근거해 축복하며 소망을 전할 지체는 누구인가요?

레위·베냐민·요셉 지파를 위한 축복
33:8~17

하나님은 우리의 약점조차 복의 통로로 사용하십니다. 레위 지파는 폭력성과 잔인함으로 인해 나뉘고 흩어지는 저주를 받았습니다(창 34장; 49:5~7). 그러나 그들의 흩어짐은 오히려 이스라엘 백성 가운데로 들어가서 율법을 가르치고 예배를 주관하는 거룩한 축복으로 반전됩니다(10절). 하나님은 우리의 수치스러운 경험조차 그분 나라와 영광을 위해 귀하게 사용하십니다. 모세는 땅의 기업이 없는 레위 지파가 풍족함을 누리고 직무 수행이 방해받지 않도록 간구합니다. 베냐민 지파는 하나님의 안전한 보호와 사랑을 입고, 요셉 지파(에브라임·므낫세)는 풍성한 산물과 힘이 있어 지속적인 번성과 영예를 누리도록 축복합니다. 언약 백성을 향한 하나님의 사랑과 복은 인색하지 않고 항상 차고 넘칩니다.

레위 지파가 담당한 직무는 무엇이며, 모세는 그들을 위해 무엇을 간구하나요? 내 수치와 약점이 어떻게 쓰임받을 수 있을까요?

| 오늘의 기도 | 지극한 사랑으로 제게 복 주기를 기뻐하시는 주님! 현실은 힘들어도 주님 말씀을 귀히 여겨 준행하기를 즐거워하는 이에게 영적 반전이 준비되어 있음을 믿습니다. 제게 허락하신 모든 환경을 감사히 받아들이며 주님의 법도를 따라 사명을 잘 감당하도록 도우소서. |

영적 우정의 가치

상황에 끌려다니지
않기로 했다/
켄 시게마츠

레이튼 포드는 나의 오랜 조력자이자 친구다. 보스턴에서 신학을 배우던 시절 어느 늦은 밤 차 안에서의 나눔 이후 싹튼 우정이 20년 가까이 지속되면서, 그는 내 인생길의 변함없는 동무가 되어 주었다. 1996년 여름, 지금 시무하는 밴쿠버 텐스애비뉴교회에 처음 왔을 때 1950년대 전성기를 지낸 역사적인 교회에서 목회한다는 것이 엄두가 나질 않았다. 출석 교인 수는 1,000명에서 100명으로 줄어 있었고, 20년 사이에 거의 20명의 목사가 교체되었다. 나는 분발하기보다 위축되었다. 두 주 뒤 레이튼 포드와 나는 차 안에서 이야기를 나누었다. 나는 격려가 절실히 필요했지만 차마 말하기가 부끄러웠다. 그래서 격려 대신 조언을 부탁했더니 그는 잠시 생각하다가 이렇게 대답했다. "하나님은 예술가시라는 점을 기억하게. 하나님은 자네가 누구의 것도 모방하기를 원치 않으시네. 이 교회만을 위한 하나님의 독특한 비전을 찾게." 자상한 말투로 건넨 이 말 덕에 나는 텐스애비뉴교회에서의 처음 몇 달을 버틸 힘을 얻었다.

자신의 이야기와 걱정, 기쁨, 짐, 치부, 희망을 나누며 격려와 축복을 주고받을 수 있는 친구는 값으로 따질 수 없는 선물이다. 영적 우정은 단순히 기분을 더 좋게 해 주는 게 아니라 '더 나은 사람'이 되게 해 준다. 영적 우정의 목적은 자신의 말에 무조건 고개를 끄덕여 주기를 기대하는 것이 아니라 그리스도 안에서 서로를 축복하며 함께 성장해 나가는 것이다. _두란노

한절 묵상

주님의 축복은
그것을 활용할
믿음만 있다면
현재를 위한
진정한 선물이 된다.
– 찰스 스펄전

신명기 33장 1절 | 모세는 이스라엘 자손을 축복하는 것으로 파란만장했던 120년 인생을 마무리합니다. 그는 죽음 앞에서도 이스라엘을 품습니다. 물론 모세는 복을 만드는 자가 아닙니다. 복은 하나님과 그분의 말씀(율법)에서 비롯됩니다. 가장 좋은 축복은 하나님 말씀으로 복을 빌고 말씀대로 이루어지기를 간구하는 것입니다. 하나님이 주신 달란트로 그분 나라와 의를 구할 수 있도록 서로를 향해 축복하십시오. 축복의 통로가 되는 것은 영광스러운 일입니다.

질문으로 열린 소통

"동생에게 열심히 전도해도 믿지 않으니, 어떡해야 할까요?" 한 청년이 토로해 왔다. "동생이 남자 친구와 헤어졌거든요. 이별할 때마다 심하게 상처받아서 말했어요. 남자들은 다 똑같다고. 널 가장 사랑하는 이는 예수님이니, 예수님 한번 믿어 보라고." 자매에게 말했다. "전도는 일방적인 '말'이 아니라 '질문'으로 하는 것입니다."

    예수님은 어떻게 자신을 믿도록 소통하셨을까? 예수님은 그저 일방적으로 말씀만 하지 않으셨다. 대화로 초청하셨다. "마실 물 좀 다오." 우물곁에 앉으신 예수님(요 4장)은 사마리아 여인에게 먼저 그분의 목마름을 드러내신다. "사마리아 여자인 내게 왜 물을 달라 하십니까?" 예수님은 다소 냉소적인 여인의 반응을 자신에 대한 관심으로 유도하신다. "내가 누군지를 알았다면 도리어 네가 물을 달라 청했을 것이고, 나는 네게 생수를 주었을 것이다." 예수님의 초청에 여인은 질문으로 화답한다. "어디서 생수를 구하신단 말입니까? 선생님이 이 우물을 준 야곱보다 위대하십니까?" 우리의 소통이 힘없는 이유는 여인의 질문 같은 세상의 질문을 용인하지 않아서가 아닐까? "어떻게 믿기만 하면 구원을 얻어?", "평생 좋은 일을 한 사람이 천국가야 하는 거 아냐?" 같은. 그러나 예수님은 질문을 기다리신다. "네 목마름은 밖에서부터 채워서는 해결될 수 없다. 내가 주는 물은 사람 속에서 솟아나는 영생의 샘물이다." 여인은 그제야 자신의 목마른 삶을 드러낸다. "그 물을 주셔서 목마르지도 않고, 여기 물 길으러 오지도 않게 해 주십시오." "네 남편을 불러오라." 정죄하기 위해 물으신 것이 아니다. 더 깊은 대화로 초청하시기 위함이었다. 이 말에 여인은 영혼의 갈급함을 드러낸다. "누구에게 예배해야 이 목마름을 해결할 수 있습니까?" 이 질문에 예수님은 자신을 소개하신다. "내가 그다." 예수님의 이 짧은 자기 증거는, 대화로 마음을 열고 진리에 이른 여인을 구원으로 이끌기에 충분했다.

    사람의 영혼은 인간의 강요된 말로 변화될 만큼 가볍지 않다. 영혼이 있다는 것은, 내게 찾아오신 하나님께 질문하고 깨달을 수 있는 위대한 능력이 있다는 것이다. 나는 청년에게 동생이 예수님에 대해 스스로 질문할 수 있도록, 먼저 물어보고 함께 아파하고 대화하라고 권면했다. 예수님의 전도는 단순했다. "내가 그다." 핵심은 '왜 그분인지'는 우리의 말이 아닌, 상대의 질문에서 나와야 한다는 것이다.

이성조 | 상동교회 담임 목사. 「불편한 믿음」 저자

셋째 주

이스라엘이여 너는 행복한 사람이로다 여호와의 구원을
너같이 얻은 백성이 누구냐 그는 너를 돕는 방패시요 네 영광의 칼이시로다
네 대적이 네게 복종하리니 네가 그들의 높은 곳을 밟으리로다(신 33:29).

21 · 하나님과 함께함이 최고 행복입니다

신명기 33:18~29

18 스불론에 대하여는 일렀으되 스불론이여 너는 밖으로 나감을 기뻐하라 잇사갈이여 너는 장막에 있음을 즐거워하라 19 그들이 백성들을 불러 산에 이르게 하고 거기에서 의로운 제사를 드릴 것이며 바다의 풍부한 것과 모래에 감추어진 보배를 흡수하리로다

18 About Zebulun he said: "Rejoice, Zebulun, in your going out, and you, Issachar, in your tents. 19 They will summon peoples to the mountain and there offer the sacrifices of the righteous; they will feast on the abundance of the seas, on the treasures hidden in the sand."

20 갓에 대하여는 일렀으되 갓을 광대하게 하시는 이에게 찬송을 부를지어다 갓이 암사자같이 엎드리고 팔과 정수리를 찢는도다 21 그가 자기를 위하여 먼저 기업을 택하였으니 곧 입법자의 분깃으로 준비된 것이로다 그가 백성의 수령들과 함께 와서 여호와의 공의와 이스라엘과 세우신 법도를 행하도다

20 About Gad he said: "Blessed is he who enlarges Gad's domain! Gad lives there like a lion, tearing at arm or head. 21 He chose the best land for himself; the leader's portion was kept for him. When the heads of the people assembled, he carried out the LORD's righteous will, and his judgments concerning Israel."

22 단에 대하여는 일렀으되 단은 바산에서 뛰어나오는 사자의 새끼로다

22 About Dan he said: "Dan is a lion's cub, springing out of Bashan."

23 납달리에 대하여는 일렀으되 은혜가 풍성하고 여호와의 복이 가득한 납달리여 너는 서쪽과 남쪽을 차지할지로다

23 About Naphtali he said: "Naphtali is abounding with the favor of the LORD and is full of his blessing; he will inherit southward to the lake."

24 아셀에 대하여는 일렀으되 아셀은 아들들 중에 더 복을 받으며 그의 형제에게 기쁨이 되며 그의 발이 기름에

오늘의 찬송 (새 563 통 411 예수 사랑하심을)

예수 사랑하심을 성경에서 배웠네 우리들은 약하나 예수 권세 많도다/ 나를 사랑하시고 나의 죄를 다 씻어 하늘 문을 여시고 들어가게 하시네/ 내가 연약할수록 더욱 귀히 여기사 높은 보좌 위에서 낮은 나를 보시네/ (후렴) 날 사랑하심 날 사랑하심 날 사랑하심 성경에 쓰였네

잠길지로다 25 네 문빗장은 철과 놋이 될 것이니 네가 사는 날을 따라서 능력이 있으리로다

24 About Asher he said: "Most blessed of sons is Asher; let him be favored by his brothers, and let him bathe his feet in oil. 25 The bolts of your gates will be iron and bronze, and your strength will equal your days.

26 여수룬이여 하나님 같은 이가 없도다 그가 너를 도우시려고 하늘을 타고 궁창에서 위엄을 나타내시는도다

26 "There is no one like the God of Jeshurun, who rides across the heavens to help you and on the clouds in his majesty.

27 영원하신 하나님이 네 처소가 되시니 그의 영원하신 팔이 네 아래에 있도다 그가 네 앞에서 대적을 쫓으시며 멸하라 하시도다

27 The eternal God is your refuge, and underneath are the everlasting arms. He will drive out your enemies before you, saying, 'Destroy them!'

28 이스라엘이 안전히 거하며 야곱의 샘은 곡식과 새 포도주의 땅에 홀로 있나니 곧 그의 하늘이 이슬을 내리는 곳에로다

28 So Israel will live in safety; Jacob will dwell secure in a land of grain and new wine, where the heavens drop dew.

29 이스라엘이여 너는 행복한 사람이로다 여호와의 구원을 너같이 얻은 백성이 누구냐 그는 너를 돕는 방패시요 네 영광의 칼이시로다 네 대적이 네게 복종하리니 네가 그들의 높은 곳을 밟으리로다

29 Blessed are you, Israel! Who is like you, a people saved by the LORD? He is your shield and helper and your glorious sword. Your enemies will cower before you, and you will tread on their heights."

오늘의 말씀 요약

모세는 스불론과 잇사갈이 산에서 의로운 제사를 드리고, 갓이 공의와 법도를 행하며, 단이 사자 새끼 같기를 축복합니다. 또한 납달리가 서쪽과 남쪽을 차지하고, 아셀은 형제 중에 더 복 받고 기쁨이 되기를 축복합니다. 하나님의 도우심으로 대적을 쫓고 구원 얻은 이스라엘은 행복한 사람입니다.

나머지 지파를 위한 축복
33:18~29

행복하고 아름다운 미래는 하나님 안에서만 보장됩니다. 모세는 해상 무역으로 부요해질 스불론 지파와 농업 등으로 안락한 생활을 할 잇사갈 지파가 성소에서 하나님께 신실하게 제사드리도록 기원합니다. 요단 동쪽 땅을 차지한 갓 지파는 하나님의 공의와 법도를 실행하고, 단 지파는 사자 새끼와 같은 강인함과 용맹함으로 대적을 물리치며, 납달리 지파는 서쪽과 남쪽으로 번창하고, 아셀 지파는 형제의 기쁨이 되기를 축복합니다. 여수룬은 '의로운 자'라는 뜻으로 이스라엘을 명예롭게 일컫는 표현입니다. 하나님은 언약 백성을 사랑해 의롭게 여겨 주시고 구원하십니다. 하나님이 돕는 방패요 영광의 칼이 되시면, 어떤 대적도 언약 백성을 이길 수 없습니다. 하나님은 그분을 사랑하고 의지하는 자에게 영원한 안전과 승리, 참된 행복을 보장하십니다.

이스라엘 백성이 '행복한 사람'인 이유는 무엇인가요? 나와 가정의 행복은 어디에서 비롯되는 것일까요?

주일 가족 QT 나눔

▶ **마음 모으기**
찬양과 기도로 시작하기

▶ **마음 열기**
한 주간 하나님이 내게 행하신 일(은혜) 나누기

▶ **가족 QT 나누기**
'관찰, 적용과 나눔' 질문 활용하기

▶ **하나님 성품 닮아 가기**
닮아 갈 하나님(성부, 성자, 성령)의 성품을 기록하고 나누기

▶ **함께 기도하기**
한 주간 가족이 함께 기도할 기도 제목을 정하고 기도하기

▶ **주기도문으로 마치기**

1 관찰 스불론 지파와 잇사갈 지파는 각각 어디에서 무슨 일을 해서 번성하게 될까요?(33:18~19; 참조. 창 49:13~15)

적용과 나눔 내가 하고 있는 일 또는 앞으로 할 일을 통해 어떻게 하나님께 영광 돌릴지 나누어 보세요.

2 관찰 하나님이 이스라엘을 도와 구원하시는 이유는 무엇인가요? '돕는 방패', '영광의 칼'이 의미하는 바는 무엇일까요?(33:26~29)

적용과 나눔 건강·일터·인간관계 등 각자 어떤 영역에서 하나님의 도우심이 필요한지 나누고 이를 위해 함께 기도하세요.

설교 노트

제목 : _____

본문 : _____

내용 :

22 · 사명도 죽음도 하나님 섭리입니다

신명기 34:1~12

1 모세가 모압 평지에서 느보산에 올라가 여리고 맞은편 비스가산 꼭대기에 이르매 여호와께서 길르앗 온 땅을 단까지 보이시고

1 Then Moses climbed Mount Nebo from the plains of Moab to the top of Pisgah, across from Jericho. There the LORD showed him the whole land—from Gilead to Dan,

2 또 온 납달리와 에브라임과 므낫세의 땅과 서해까지의 유다 온 땅과 3 네겝과 종려나무의 성읍 여리고 골짜기 평지를 소알까지 보이시고

2 all of Naphtali, the territory of Ephraim and Manasseh, all the land of Judah as far as the Mediterranean Sea, 3 the Negev and the whole region from the Valley of Jericho, the City of Palms, as far as Zoar.

4 여호와께서 그에게 이르시되 이는 내가 아브라함과 이삭과 야곱에게 맹세하여 그의 후손에게 주리라 한 땅이라 내가 네 눈으로 보게 하였거니와 너는 그리로 건너가지 못하리라 하시매

4 Then the LORD said to him, "This is the land I promised on oath to Abraham, Isaac and Jacob when I said, 'I will give it to your descendants.' I have let you see it with your eyes, but you will not cross over into it."

5 이에 여호와의 종 모세가 여호와의 말씀대로 모압 땅에서 죽어 6 벳브올 맞은편 모압 땅에 있는 골짜기에 장사되었고 오늘까지 그의 묻힌 곳을 아는 자가 없느니라 7 모세가 죽을 때 나이 백이십 세였으나 그의 눈이 흐리지 아니하였고 기력이 쇠하지 아니하였더라

5 And Moses the servant of the LORD died there in Moab, as the LORD had said. 6 He buried him in Moab, in the valley opposite Beth Peor, but to this day no one knows where his grave is. 7 Moses was a hundred and twenty years old when he died, yet his eyes were not weak nor his strength gone.

오늘의 찬송 (새 384 통 434 나의 갈 길 다 가도록)

(경배와 찬양) 주가 보이신 생명의 길 나 주님과 함께 상한 맘을 드리며 주님 앞에 나아가리 나의 의로움이 되신 주 그 이름 예수 나의 길이 되신 이름 예수 나의 길 오직 그가 아시나니 나를 단련하신 후에 내가 정금같이 나아오리라

---

8 이스라엘 자손이 모압 평지에서 모세를 위하여 애곡하는 기간이 끝나도록 모세를 위하여 삼십 일을 애곡하니라

8 The Israelites grieved for Moses in the plains of Moab thirty days, until the time of weeping and mourning was over.

9 모세가 눈의 아들 여호수아에게 안수하였으므로 그에게 지혜의 영이 충만하니 이스라엘 자손이 여호와께서 모세에게 명령하신 대로 여호수아의 말을 순종하였더라

9 Now Joshua son of Nun was filled with the spirit of wisdom because Moses had laid his hands on him. So the Israelites listened to him and did what the LORD had commanded Moses.

10 그 후에는 이스라엘에 모세와 같은 선지자가 일어나지 못하였나니 모세는 여호와께서 대면하여 아시던 자요

10 Since then, no prophet has risen in Israel like Moses, whom the LORD knew face to face,

11 여호와께서 그를 애굽 땅에 보내사 바로와 그의 모든 신하와 그의 온 땅에 모든 이적과 기사와

11 who did all those signs and wonders the LORD sent him to do in Egypt—to Pharaoh and to all his officials and to his whole land.

12 모든 큰 권능과 위엄을 행하게 하시매 온 이스라엘의 목전에서 그것을 행한 자이더라

12 For no one has ever shown the mighty power or performed the awesome deeds that Moses did in the sight of all Israel.

오늘의 말씀 요약

모세가 느보산에 올라 약속의 땅을 본 후 죽어 모압의 한 골짜기에 묻힙니다. 모세의 안수를 받은 여호수아에게 지혜의 영이 충만해, 백성이 그의 말에 순종합니다. 모세는 하나님이 대면해 아셨고, 백성의 목전에서 큰 권능과 위엄을 행했습니다. 이후 그와 같은 선지자가 일어나지 못했습니다.

죽음을 맞이한 모세
34:1~8

유한한 사람의 생각과 전지하시고 전능하신 하나님의 계획은 전혀 다릅니다. 120세가 되었지만 모세는 여전히 눈이 흐리지 않고 기력이 쇠하지 않은 건강한 상태였습니다(7절). 인간적 관점에서는 새내기 지도자 여호수아보다 경험과 경륜을 겸비한 역전의 노장 모세가 가나안 정복 전쟁을 주도하는 편이 더 든든해 보입니다. 그러나 하나님은 모세가 느보산에서 약속의 땅을 바라만 보고 숨을 거두게 하십니다. 하나님이 모세에게 주신 사명은 거기까지였습니다. 그는 하나님이 정하신 때에 하나님께로 돌아갔습니다. 모세의 무덤이 알려지지 않은 것은 그를 신격화하거나 그의 유해를 가지고 가나안 땅에 들어가지 않도록 하기 위함입니다. 하나님은 모세에게 가나안 정복보다 더 좋은 '안식'이라는 선물을 주셨습니다.

모세가 죽을 때 건강 상태는 어떠했나요? 사명을 감당할 만큼 충분한 건강과 능력이 있음에도 하나님이 막으실 때 어떻게 해야 할까요?

지도자 모세의 일생
34:9~12

한 사람에 관한 진정한 평가는 그가 떠난 이후에 비로소 이루어집니다. 성경은 모세와 같은 선지자가 이후 역사 가운데 다시는 등장하지 못했다고 기록합니다(10절). 무엇이 모세를 위대하게 만들었을까요? 첫째, 그는 하나님과 친구처럼 대면해 말씀을 나누는 특별한 관계에 있었습니다(출 33:11). 둘째, 애굽의 바로와 그 백성 앞에서 놀라운 이적과 기사를 행했고, 이스라엘 백성 앞에서도 큰 권능으로 많은 기적을 행했습니다. 셋째, 그는 사사로운 욕심을 버리고 하나님의 지시대로 후계자를 잘 세웠습니다(민 27:15~23). 인류의 구원 역사를 계획하시고 완성하시는 분은 하나님입니다. 모세는 그 구원 역사에 쓰임받은 충성된 지도자였습니다.

모세가 특별한 지도자로 평가받은 이유는 무엇인가요? 나는 주어진 사명을 다 마치고 이 세상을 떠날 때 어떤 인물로 평가되고 싶나요?

| 오늘의 기도 | 인생의 마지막 순간에 제가 주님 앞에 어떻게 평가될지, 후손에게 어떤 모습으로 기억될지 생각해 봅니다. 철저히 순종하며 아름답게 사명을 마친 모세처럼, 오직 주님이 이끄시는 대로 나아가고 멈추는 사람이 되도록 제게 은혜를 더하소서. |

가장 좋은 것을 기다리는 사람들

꿈으로 사는
비전 인생/
이동원

청교도들은 모든 시대 그리스도인 가운데 가장 경건하고 진취적인 삶을 살았던 것으로 평가받습니다. 그들은 초대교회 성도들과 함께 강력한 믿음의 삶을 산 좋은 본보기로 꼽힙니다. 그들은 안락한 환경에서 살지 못했습니다. 역사를 살펴보면 그들도 상당히 심한 박해를 받았습니다. 신앙을 지키다가 무참히 살해당하기도 했습니다. 어쩔 수 없이 고향 땅을 떠나 망명 길에 올랐습니다. 그렇지만 그들의 믿음에는 흔들림이 없었습니다. 영국에서 청교도 박해가 한창일 당시 그들은 서로 만나면 신앙 고백과도 같은 인사를 주고받았다고 합니다. "가장 좋은 것은 아직 오지 않았습니다." 그들은 가장 힘들고 괴로운 때 이렇게 서로 격려했습니다. 하나님이 주신 은총을 힘써 기억하고, 앞으로 주실 더 좋은 것을 기대하는 인사였습니다.

어느 신학자는 "그리스도인들은 치료가 불가능한 낙관주의자다."라고 말했습니다. 살아 계신 하나님이 우리를 사랑하시고 우리 삶에 항상 함께하시는데 어떻게 비관주의자가 될 수 있겠느냐고 그는 묻습니다. 저 역시 건강한 그리스도인은 낙관주의자가 될 수밖에 없다고 믿습니다. 성령 안에서 갈수록 아름다워지는 인생, 비록 지금은 고통과 슬픔이 있을지라도 뒤에는 더 좋은 마지막이 기다리고 있다는 걸 믿는 인생, 이것이 그리스도인의 삶입니다. _요단

한절 묵상

이해되지 않는
상황에서조차
주님을 찬양하는 것,
이것이 바로
비범한 믿음이다.

– 카터 콜론

신명기 34장 7, 10절 | 모세의 위대함은 무엇보다 하나님과의 관계에서 비롯되었습니다. 그는 출애굽의 지도자로서 친구처럼 하나님과 대면해 교제했습니다(10절; 출 33:11). 그랬기에 하나님의 마음과 뜻을 알고, 수없이 불평하고 원망하는 이스라엘 백성을 끝까지 품고 약속의 땅 앞까지 이를 수 있었습니다. 그는 '하나님의 온 집에서 종으로서' 신실했습니다(히 3:5). 누구든 하나님과 친밀하게 교제한다면 위대한 일에 쓰임받는 종이 될 수 있습니다.

23 · 우리 인생의 건축자는 하나님이십니다

시편 127:1~5

[솔로몬의 시 곧 성전에 올라가는 노래]

1 여호와께서 집을 세우지 아니하시면 세우는 자의 수고가 헛되며 여호와께서 성을 지키지 아니하시면 파수꾼의 깨어 있음이 헛되도다

1 Unless the LORD builds the house, the builders labor in vain. Unless the LORD watches over the city, the guards stand watch in vain.

2 너희가 일찍이 일어나고 늦게 누우며 수고의 떡을 먹음이 헛되도다 그러므로 여호와께서 그의 사랑하시는 자에게는 잠을 주시는도다

2 In vain you rise early and stay up late, toiling for food to eat—for he grants sleep to those he loves.

3 보라 자식들은 여호와의 기업이요 태의 열매는 그의 상급이로다

3 Children are a heritage from the LORD, offspring a reward from him.

오늘의 찬송 (새 383 통 433 눈을 들어 산을 보니)

눈을 들어 산을 보니 도움 어디서 오나 천지 지은 주 하나님 나를 도와주시네 나의 발이 실족 않게 주가 깨어 지키며 택한 백성 항상 지켜 길이 보호하시네/ 도우시는 하나님이 네게 그늘 되시니 낮의 해와 밤의 달이 너를 상치 않겠네 네게 화를 주지 않고 혼을 보호하시며 너의 출입 지금부터 영영 인도하시리 아멘

4 젊은 자의 자식은 장사의 수중의 화살 같으니

4 Like arrows in the hands of a warrior are children born in one's youth.

5 이것이 그의 화살통에 가득한 자는 복되도다 그들이 성문에서 그들의 원수와 담판할 때에 수치를 당하지 아니하리로다

5 Blessed is the man whose quiver is full of them. They will not be put to shame when they contend with their opponents in court.

오늘의 말씀 요약

하나님이 함께하시지 않으면 집을 세우는 수고도, 파수꾼의 깨어 있음도, 일찍 일어나고 늦게 눕는 수고도 헛됩니다. 그러므로 하나님은 그분이 사랑하시는 자에게 잠을 주십니다. 하나님이 주신 기업이요 상급인 자녀는 장사의 화살과 같아서, 이것이 화살통에 가득한 자는 복됩니다.

수고가 헛된 이유
127:1~2

열심히 수고하며 산다고 인생이 잘되는 것은 아닙니다. 하나님 없이 자기 힘과 지혜를 믿고 행하는 모든 수고와 노력은 헛될 뿐입니다. 소득을 얻기 위해 밤낮 쉬지 않고 일해도 하나님을 무시하는 가정, 하나님을 무시하는 나라의 결국은 패망입니다. 하나님은 그분 없는 교만한 삶을 싫어하십니다. 유한한 인간은 내일 일을 알지 못합니다. 그러나 창조자요 주권자신 하나님이 함께하시면 어떤 문제 앞에서도 염려 없습니다. 평안과 복의 근원은 하나님이십니다. 그러니 우리가 행하는 모든 일에 하나님을 주인으로 모셔야 합니다. 모든 공급과 안전의 근원이신 하나님을 범사에 인정하고 의지하면, 그분의 사랑을 입고 쉼을 얻으며 수고를 보상받습니다.

가정이든 나라든 하나님이 함께하시지 않으면 어떤 결과를 맞게 되나요? 내가 하나님을 의지하며 그분께 주도권을 내어 드릴 일은 무엇인가요?

자녀는
여호와의 상급
127:3~5

자녀는 우연히 태어난 생명이 아니라 하나님의 기업이요 상급입니다. 이를 인정할 때 부모가 자녀를 바르게 양육할 수 있습니다. 부모는 자녀를 하나님 소유로 여기고 하나님 말씀으로 양육해야 합니다. 하나님 말씀은 교훈과 책망과 바르게 함과 의로 교육하기에 유익합니다(딤후 3:16). 화살통에 화살이 가득하듯, 가정에 자녀가 많은 것은 하나님이 주신 복입니다. 믿음의 자녀는 부모에게 기쁨과 힘이요 부모 세대의 영적 전투력입니다. 자녀를 양육하는 일은 신앙의 계보를 잇는 중요한 일입니다. 원수가 공격하기도 하지만(마 2:13), 하나님이 집을 세워 가시기에 신앙의 계보는 중단이 없을 것입니다. 최고의 자녀 양육은 많은 재산을 물려주는 것이 아니라 하나님을 경외하는 믿음의 사람으로 기르는 것입니다.

시편 기자는 자식들을 하나님과의 관계에서 어떻게 묘사하나요? 내가 자녀를 양육하는 기준과 지향점은 어떠해야 할까요?

오늘의 기도
스스로 인생을 경영하려는 조급함과 헛된 노력을 내려놓겠습니다. 주인이신 하나님께 모든 삶을 의탁하고 참된 안식을 누리길 소망합니다. 자녀를 '내 것'으로 여기며 좌지우지하려 하지 않고 하나님의 기업, 믿음의 용사로 바르게 양육하는 부모 되게 하소서.

염려하지 않는 삶

완벽은 우리 몫이
아닙니다/
김경진

우리는 '암에 걸리면 어떻게 하나?' 하고 염려합니다. 사실 암에 걸리는 것은 우리의 염려와는 상관이 없습니다. 물론 암에 걸리지 않기 위해 조심할 수는 있습니다. 그러나 염려한다고 암에 걸리지 않는 것은 아닙니다. 그것은 우리의 영역을 넘어선 문제입니다.

제가 미국에 머물렀던 때, 산 위에 있는 좋은 집을 구해서 사는 사람이 있었습니다. 이제는 그의 이름도 얼굴도 잘 기억나지 않지만 한 가지가 기억에 남습니다. 그가 매우 많은 염려를 하고 살았다는 사실입니다. 산 위 좋은 집에 살면서도 늘 마음에 '산불이 나면 어떻게 하지?'라는 염려를 품고 있었습니다. 차라리 도시로 내려와 살면 될 텐데 군이 산 위에 살면서 매일매일을 걱정에 사로잡혀 보냈습니다.

시편 기자는 이렇게 고백합니다. "여호와께서 집을 세우지 아니하시면 세우는 자의 수고가 헛되며 여호와께서 성을 지키지 아니하시면 파수꾼의 깨어 있음이 헛되도다"(시 127:1). 우리가 아무리 걱정하고, 계획하고, 잠 못 자고, 생각하고, 염려해도 하나님이 지켜 주시지 않으면 모든 일이 허사입니다. 그러니 하나님이 일하시고 보호하심을 의지해 염려와 걱정 없이 잠자리에 드십시오. 그것이 하나님의 복입니다. _ 두란노

한절 묵상

하나님 외의 것에서
영원한 쉼을 찾으려는
인간의 마음은
마치 관절이 빠진 듯
갈팡질팡할 것이다.
– 팀 켈러

시편 127편 1절 | 우리가 하는 모든 일이 헛되지 않으려면 하나님이 은혜를 주셔야 합니다. 젊은 시절 솔로몬은 이방 여인들을 따라 하나님 없이 집을 세웠고 파수꾼으로 나라를 지키려 했습니다. 인생 말년에 그는 해 아래서 하는 모든 수고가 헛되다며, 하나님을 경외하고 그분 명령을 지키는 것이 사람의 본분임을 깨닫습니다(전 12:13). 실패한 인생이 되지 않고 수고에 합당한 가치를 인정받는 비결은 하나님을 경외하고 그분과 동행하는 것입니다.

24 · 하나님의 길을 걸으면 평강의 복을 누립니다

시편 128:1~6

[성전에 올라가는 노래]

1 여호와를 경외하며 그의 길을 걷는 자마다 복이 있도다

1 Blessed are all who fear the LORD, who walk in obedience to him.

2 네가 네 손이 수고한 대로 먹을 것이라 네가 복되고 형통하리로다

2 You will eat the fruit of your labor; blessings and prosperity will be yours.

3 네 집 안방에 있는 네 아내는 결실한 포도나무 같으며 네 식탁에 둘러앉은 자식들은 어린 감람나무 같으리로다

3 Your wife will be like a fruitful vine within your house; your children will be like olive shoots around your table.

오늘의 찬송 (새 446 통 500 주 음성 외에는)

(경배와 찬양) 아버지 주 나의 기업 되시네 주님은 내 소망 내 기쁨 사랑합니다 사랑합니다 나의 기쁨 주님을/ 예수 내 삶의 보배 되시네 주님은 온유하고 순결해 사랑합니다 사랑합니다 나의 기쁨 주님을

4 여호와를 경외하는 자는 이같이 복을 얻으리로다

4 Yes, this will be the blessing for the man who fears the LORD.

5 여호와께서 시온에서 네게 복을 주실지어다 너는 평생에 예루살렘의 번영을 보며

5 May the LORD bless you from Zion; may you see the prosperity of Jerusalem all the days of your life.

6 네 자식의 자식을 볼지어다 이스라엘에게 평강이 있을지로다

6 May you live to see your children's children— peace be on Israel.

오늘의 말씀 요약

하나님을 경외하며 그분의 길을 걷는 사람은 복이 있어, 손이 수고한 대로 먹고 형통할 것입니다. 아내는 결실한 포도나무 같고 자식들은 어린 감람나무 같은 복을 얻을 것입니다. 하나님이 시온에서 그에게 복 주시므로 그는 평생에 예루살렘의 번영과 자식의 자식을 보며 평강을 누립니다.

여호와의 길을 걷는 자의 복
128:1~4

하나님을 경외하는 사람은 그분의 길로 행합니다. '그의 길'(1절)을 걷는다는 것은 하나님 말씀에 순종함을 의미합니다. 비록 첫 사람 아담의 불순종으로 출산의 고통이 커지고 저주받은 땅에서 우리가 수고해야 양식을 얻게 되었지만, 하나님을 경외하고 그분의 길로 행하면 형벌과 저주의 환경에서도 복을 얻습니다. 손이 수고한 대로 먹고 원수에게 양식을 빼앗기지 않으며(사 62:8~9), 행하는 모든 일이 형통합니다. 아내는 다방면으로 좋은 열매를 맺어 가정을 결실한 포도나무같이 만듭니다(잠 31:31). 식탁에 둘러앉은 자녀들은 하나님을 경외하는 부모로부터 말씀을 배우며 어린 감람나무처럼 미래의 소망으로 자라납니다. 하나님을 경외하고 그분의 길을 따르는 가정은 대대손손 복이 이어집니다.

하나님을 경외하고 그분의 길을 걸으면 어떤 복을 받게 되나요? 복된 가정을 소망하며 나와 우리 가족이 함께 노력할 부분은 무엇인가요?

시온에서 복 주심
128:5~6

하나님 나라에서 개인과 가정과 교회는 연결되어 있습니다. 하나님은 '시온'(예루살렘)에서 자기 백성에게 복을 주십니다. 하나님 백성의 형통은 개인의 자아 성취가 아닌 하나님 나라와 의를 먼저 구하는 데서 시작됩니다. 개인의 평안만 구하면 많이 수고해도 적게 거두고, 돈을 벌어도 구멍 뚫린 주머니에 넣음이 됩니다(학 1:4~6). 자기를 부인하고 부름받은 사명대로 주님을 따르면, 주님이 개인에게도 복을 주시고 평생에 교회에 임하는 은총도 보게 하십니다. 이는 믿음의 후손들의 미래를 보장받는 일입니다. 성도는 하나님 나라와 의를 구하고 은총과 평강이 교회에 가득하길 구해야 합니다. 교회 공동체에 속해 평강의 은혜를 누리는 성도는 복됩니다.

하나님을 경외하는 자에게 시온에서 복을 주신다는 것은 어떤 의미일까요? 섬기는 교회의 평안과 부흥을 위해 내가 지속해서 기도할 것은 무엇인가요?

| 오늘의 기도 | 땀 흘려 수고할 일이 있음도, 가족이 한 식탁에 둘러앉음도, 예배 공동체가 있음도 하나님이 주신 복임을 미처 깨닫지 못했던 저를 용서하소서. 주님을 경외하며 말씀의 길을 따라 걷는 자에게 주어지는 평강과 번영의 복이 가정과 교회와 나라에 흘러가게 하소서. |

참된 복

**뜻밖의 축복/
조정민**

세상 사람 모두가 부족하다고, 모자라다고 다투고 싸웁니다. 구원의 본질은 부족함에서 해방되는 것입니다. 어린아이는 만 원만 쥐어 줘도 충분하다고 느낍니다. 하지만 재벌은 천억 원이라도 부족하다고 느낍니다. 자기중심적 삶의 패러다임 안에 있으면 만족이 없습니다. 나를 극대화하려 하고, 부족한 부분을 다른 사람의 것으로 채우려 드는 것이 인간의 한계며 죄 된 본성입니다. 이 죄에서 풀려나 하나님과 동행하며 사는 것이 구원입니다.

전구는 자기가 수고해서 빛을 내지 않습니다. 그냥 전선에 달려 있을 뿐입니다. 발전소에서 생산된 전기가 전선을 통해 전구에까지 이르러 빛을 냅니다. 누군가 스위치만 켜면 전구는 빛납니다. 전구는 전기가 부족할까 봐 염려하지 않습니다. 전선에 접속해 있는 한 전구는 부족감으로부터 자유롭습니다. 마찬가지로 크리스천은 하나님께 접속해 있기에 부족감을 느끼지 않는 존재입니다. 이 어린아이 같은 믿음 없이는 누구도 하나님을 경험할 수도, 누릴 수도 없습니다. 하나님을 안다는 것은 하나님과 하나 되었다는 것입니다. 하나님 품에 안겨 그분과 한길을 걸으며 그분의 임재를 믿는 것입니다. 그럴 때 우리는 참된 복을 누리며 초월적인 삶을 살게 됩니다. 교회는 그런 구원을 경험하고 전하는, 구원받은 사람들의 복된 공동체입니다. _ 두란노

한절 묵상

우리가 삶에서 경험한
하나님의 선하심은
다음 세대의
필요를 채워 주는
양분이 된다.

– 밥 소르기

시편 128편 1~2절 | 하나님은 그분을 경외하는 자에게 복과 형통을 누리게 하십니다. "겸손과 여호와를 경외함의 보상은 재물과 영광과 생명이니라"(잠 22:4). 경외함으로 인해 복을 누리는 그 사람은 복을 주시는 하나님을 더욱 경외하고 예배하게 됩니다. 이는 아름답고 복된 결과를 낳는 거룩한 '선순환'입니다. 하나님과 그분을 경외하는 예배자 사이에 일어나는 놀라운 화답, 시편 기자의 이 노래가 오늘 우리 삶의 노래가 되어야 합니다.

25 · 악인은 하나님 백성을 결코 이기지 못합니다

시편 129:1~8

[성전에 올라가는 노래]

1 이스라엘은 이제 말하기를 그들이 내가 어릴 때부터 여러 번 나를 괴롭혔도다

1 "They have greatly oppressed me from my youth," let Israel say;

2 그들이 내가 어릴 때부터 여러 번 나를 괴롭혔으나 나를 이기지 못하였도다

2 "they have greatly oppressed me from my youth, but they have not gained the victory over me.

3 밭 가는 자들이 내 등을 갈아 그 고랑을 길게 지었도다

3 Plowmen have plowed my back and made their furrows long.

4 여호와께서는 의로우사 악인들의 줄을 끊으셨도다

4 But the LORD is righteous; he has cut me free from the cords of the wicked."

오늘의 찬송 (새 543 통 342 어려운 일 당할 때)

어려운 일 당할 때 나의 믿음 적으나 의지하는 내 주를 더욱 의지합니다/ 성령께서 내 마음 밝히 비춰 주시니 인도하심 따라서 주만 의지합니다/ (후렴) 세월 지나갈수록 의지할 것뿐일세 무슨 일을 당해도 예수 의지합니다

---

5 무릇 시온을 미워하는 자들은 수치를 당하여 물러갈지어다

5 May all who hate Zion be turned back in shame.

6 그들은 지붕의 풀과 같을지어다 그것은 자라기 전에 마르는 것이라

6 May they be like grass on the roof, which withers before it can grow;

7 이런 것은 베는 자의 손과 묶는 자의 품에 차지 아니하나니

7 a reaper cannot fill his hands with it, nor one who gathers fill his arms.

8 지나가는 자들도 여호와의 복이 너희에게 있을지어다 하거나 우리가 여호와의 이름으로 너희에게 축복한다 하지 아니하느니라

8 May those who pass by not say to them, "The blessing of the LORD be on you; we bless you in the name of the LORD."

오늘의 말씀 요약

원수들이 이스라엘을 여러 번 괴롭혔으나 그들은 이스라엘을 이기지 못했습니다. 악인들이 이스라엘의 등 위로 고랑을 길게 지었으나 의로우신 하나님이 그들의 줄을 끊으셨습니다. 시온을 미워하는 자들은 수치당해 물러가고 지붕의 풀처럼 자라기도 전에 마를 것입니다.

악인들의 줄을 끊어 주심
129:1~4

하나님 백성은 악인 때문에 고난을 겪지만 그로 인해 망하지 않습니다. 이스라엘 역사는 징계와 고난의 연속이었습니다. 죄로 인한 하나님의 징계였으나 멸망을 위한 징계가 아니라 정결함을 위한 징계였습니다. 하나님은 이스라엘을 징계하시는 도구로서 이방 민족들을 사용하셨습니다. 그들은 하나님이 아닌 이방 신들을 섬기는 민족입니다. 하나님의 주권 아래서 악한 민족들이 이스라엘을 괴롭게 하지만, 그들은 결국 이기지 못합니다. 하나님은 이스라엘을 연단하신 후에 그들의 교만과 죄악을 징계하십니다. 성도는 고난 당할 때 하나님께 매달리며 간구해야 합니다. 공의의 하나님은 악인의 줄을 끊으시고 자유를 주시는 구원자입니다.

원수에게서 이스라엘을 건지기 위해 하나님은 어떤 일을 행하시나요? 주님이 끊어 주시도록 내가 간절히 기도할 괴로운 상황은 무엇인가요?

풀같이 말라 버릴 악인들
129:5~8

하나님 백성을 미워하는 것은 하나님의 대적이 되는 일입니다. 시온을 미워해 괴롭힌 악인들은 하나님의 공의로운 심판으로 인해 수치를 당해 물러갑니다. 그들이 잠시 얻은 승리는 뜨거운 햇볕에 마르는 지붕의 풀 같아서 한 줌 잡을 것도 없습니다. 이는 악인들이 그들 손으로 행한 대로 받는 보응입니다(사 3:11). 악인들은 하나님의 복과는 거리가 먼 자들입니다. 하나님 백성을 미워하는 자들은 하나님이 친히 다스리실 것입니다. 악인이 의인 한 사람을 핍박해도 그것은 그리스도의 몸을 괴롭히고 하나님 나라를 공격하는 것과 같습니다. 하나님은 우리에게 원수를 직접 갚지 말고 그분의 진노하심에 맡기라고 명하셨습니다(롬 12:19). 공의의 하나님을 의지하고 기도하는 것이 악인에게 대항하는 성도의 힘입니다.

시온을 미워하는 자들이 받을 보응은 어떠한가요? 나를 미워하는 사람들을 하나님께 맡겨야 하는 이유는 무엇인가요?

| 오늘의 기도 | 세상에서 까닭 없이 괴롭힘을 당할 때 마음이 고통스러워도 주님이 직접 갚아 주심을 기억하게 하소서. 저를 힘들게 하는 사람과 상황을 마주할 때 의로우신 주님께 소망을 두며 마음을 쏟아 놓게 하소서. 선으로 악을 이길 힘을 주소서. |

하나님이 이기신다

골리앗 끝장내기/
루이 기글리오

내 삶에는 불안과 두려움의 길고 어두운 터널이 있었다. 결국 응급실로 실려 가 한동안 뇌를 재부팅하는 약물 치료를 받았다. 근심과 걱정으로 약물 치료를 받는 사람이 생각보다 훨씬 많다는 사실을 그때 처음 알았다. 어느 날 의사에게 물었다. "이 약이 어떻게 작용하는 겁니까? 왜 이 약을 먹으면 마음이 편안해지는 거죠?" 의사는 답했다. "컴퓨터의 캐시(cache, 데이터나 값을 미리 복사해 놓는 임시 장소) 아시죠? 캐시가 어떻게 작용하는지 아시나요? 컴퓨터의 속도와 성능을 최적화하려면 캐시를 삭제해야 하죠? 선생님의 뇌에도 그런 캐시가 있습니다. 이 약은 선생님의 단기 기억 속에 있는 것을 삭제해서 뇌가 두려워하는 것을 잠시 잊게 해 줍니다."

절묘한 방법이다. 이처럼 우리 몸은 두려움을 완화하기 위해 뇌의 기억 장치를 새롭게 해야 한다는 것을 알고 있다. 바로 이것이 하나님을 의지하는 우리의 믿음이 하는 작용이다. 하나님 말씀을 수시로 묵상하고 그 말씀을 붙들면, 우리가 두려워하던 것이 우리 뇌에서 삭제되고 대신 그 말씀이 들어온다. 물론 우리 주변에서는 여전히 풍랑이 요동칠 수 있다. 원수들이 여전히 조롱을 퍼부을 수 있다. 하지만 우리는 늘 하나님 말씀을 깊이 묵상하며 그분께 능력이 있다는 사실을 다시금 기억할 수 있다. 하나님은 전능자시다. 오직 그분만이 우리를 구해 주신다. _두란노

한절 묵상

하나님이 우리에게
허락하신 시험은
우연한 것이 아니며
그 유통 기한이
반드시 정해져 있다.
– R.T. 켄달

시편 129편 5절 ┃ '시온을 미워하는 자들'이란 오늘날로 말하자면 교회와 그리스도의 복음과 성도의 신앙생활을 방해하는 자들을 가리킵니다. 성도가 악인에게 고통당함은 하나님의 놀라운 구원을 경험하고 또 바라는 항구(107:30)에 다다르는 지름길이 되기도 합니다. 그래서 우리는 "이 풍랑으로 인하여 더 빨리 갑니다"(새 373장)라고 찬양합니다. 성도가 믿음으로 구원과 승리의 노래를 부르는 것은 악한 자들의 핍박을 무력하게 하시는 하나님이 함께하시기 때문입니다.

26 · 기도하며 기다리고 바람이 성도의 믿음입니다

시편 130:1~131:3

[성전에 올라가는 노래]

1 여호와여 내가 깊은 곳에서 주께 부르짖었나이다

1 Out of the depths I cry to you, LORD;

2 주여 내 소리를 들으시며 나의 부르짖는 소리에 귀를 기울이소서

2 Lord, hear my voice. Let your ears be attentive to my cry for mercy.

3 여호와여 주께서 죄악을 지켜보실진대 주여 누가 서리이까

3 If you, LORD, kept a record of sins, Lord, who could stand?

4 그러나 사유하심이 주께 있음은 주를 경외하게 하심이니이다

4 But with you there is forgiveness, so that we can, with reverence, serve you.

5 나 곧 내 영혼은 여호와를 기다리며 나는 주의 말씀을 바라는도다

5 I wait for the LORD, my whole being waits, and in his word I put my hope.

6 파수꾼이 아침을 기다림보다 내 영혼이 주를 더 기다리나니 참으로 파수꾼이 아침을 기다림보다 더하도다

6 I wait for the Lord more than watchmen wait for the morning, more than watchmen wait for the morning.

7 이스라엘아 여호와를 바랄지어다 여호와께서는 인자하심과 풍성한 속량이 있음이라

오늘의 찬송 (새 363 통 479 내가 깊은 곳에서)

(경배와 찬양) 나의 영혼이 잠잠히 하나님만 바람이여 나의 구원이 그에게서 나는도다 나의 영혼아 잠잠히 하나님만 바라라 나의 소망이 그에게서 나는도다 오직 주만이 나의 반석 나의 구원이시니 오직 주만이 나의 산성 내가 요동치 아니하리

---

7 Israel, put your hope in the LORD, for with the LORD is unfailing love and with him is full redemption.

8 그가 이스라엘을 그의 모든 죄악에서 속량하시리로다

8 He himself will redeem Israel from all their sins.

[다윗의 시 곧 성전에 올라가는 노래]

1 여호와여 내 마음이 교만하지 아니하고 내 눈이 오만하지 아니하오며 내가 큰일과 감당하지 못할 놀라운 일을 하려고 힘쓰지 아니하나이다

1 My heart is not proud, LORD, my eyes are not haughty; I do not concern myself with great matters or things too wonderful for me.

2 실로 내가 내 영혼으로 고요하고 평온하게 하기를 젖 뗀 아이가 그의 어머니 품에 있음 같게 하였나니 내 영혼이 젖 뗀 아이와 같도다

2 But I have calmed and quieted myself, I am like a weaned child with its mother; like a weaned child I am content.

3 이스라엘아 지금부터 영원까지 여호와를 바랄지어다

3 Israel, put your hope in the LORD both now and forevermore.

오늘의 말씀 요약

시편 기자가 죄악으로 인해 주님께 부르짖습니다. 용서하심이 주님께 있으니 그분을 경외하며, 파수꾼이 아침을 기다림보다 더 간절히 주님을 기다립니다. 그는 마음과 눈이 교만하지 않아 분수에 넘치는 일을 마다하며, 그의 영혼은 어머니 품에 있는 젖 뗀 아이처럼 고요하고 평온합니다.

주님을 부르짖으며 기다리는 영혼
130:1~8

고난은 하나님을 향해 부르짖어 기도하게 하고, 또 자신의 죄와 허물을 돌아보게 합니다. 사람은 죄악의 수렁에서 스스로 빠져나올 수 없습니다. 죄를 용서하는 권한이 하나님께만 있기에 죄인이 사는 길도 하나님께만 있습니다. 그러므로 우리는 납작 엎드려 하나님을 경외하며 그분의 은혜를 간구해야 합니다. 죄로 인한 고통 속에서 우리가 할 수 있는 일은 주님을 부르고 기다리며 그분의 말씀에 소망을 두는 것입니다(1~2, 5절; 107:19~20). 말씀은 곧 하나님이시요 생명이기 때문입니다. 주님의 인자하신 성품과 구원 능력을 아는 사람은 죄악 중에 절망하지 않습니다. 오히려 주님을 더욱 간절히 기다립니다. 주님은 파수꾼이 아침을 기다림보다 더 주님을 기다리는 백성을 모든 죄악에서 속량하십니다.

죄로 인해 깊은 수렁에 빠진 상황에서 하나님 백성은 어떻게 해야 하나요? 나는 어떤 상황 때문에 주님을 경외하는 삶으로 나아가게 되나요?

이스라엘아, 영원히 여호와를 바랄지어다
131:1~3

하나님 백성은 자기가 하고 싶은 일이 아니라 하나님이 원하시는 일을 해야 합니다. 마음이 교만하면 하나님의 부르심과 상관없이 이기적인 욕망과 허영을 좇습니다. 눈이 오만하면 스스로 지혜 있는 체하며 땅의 영화를 추구합니다. 자기 분량에 넘치는 큰일, 감당하지 못할 일까지 욕심내서 해 보려 안간힘을 쓰니 그의 마음과 삶에 평온함이 없습니다. 하나님의 놀라운 역사는 사람의 역량이 아닌 오직 하나님의 영으로 되는 것입니다(슥 4:6). 우리는 욕망에 이끌리지 말고 의지적으로 하나님 품으로 돌아가야 합니다. 우리 영혼은 하나님 안에서 안식할 때 충만히 채워집니다. 성도가 바랄 영원한 본향은 하나님입니다.

마음이 교만하고 눈이 오만한 사람의 삶은 어떠할까요? 요즘 내가 평온을 누리지 못하고 있다면 그 이유는 무엇인가요?

| 오늘의 기도 | 깊은 절망 속에서도 제 부르짖음에 귀 기울이시는 주님을 찾겠습니다. 죄악으로 마음이 눌릴 때 저를 용서하시고 고치시는 주님께 겸손히 나아가게 하소서. 눈이 쇠하도록 생명의 말씀을 사모하며 주님을 간절히 기다리는 저를 십자가 은혜로 안아 주소서. |

인생의 터널을 통과하는 법

더 이상 내려갈 곳이
없었다/
홍민기

속상한 일이 있을 때 나는 사람을 잘 만나지 않는다. 상한 마음으로 사람을 만나면 대개 좋은 말을 안 하게 되고, 그러면 나중에 후회하게 된다. 그래서 속상하면 자연으로 갔다. 서울 살 때는 양평도 가고 미사리도 갔다. 부산 살 때는 거제도와 통영, 남해가 이어지는 거가대교 쪽에 가곤 했다. 그렇게 나가서 하나님이 창조하신 아름다운 자연을 보며 하나님의 위대하심을 느끼고, 그 창조물보다 나를 귀하게 여기시는 그 사랑이 느껴져 다시 힘을 얻곤 했다.

자신의 힘으로 해답을 찾으려고 너무 애쓰지 말라. 어둡고 힘든 터널을 지날 때는 위대한 일을 하는 것보다 일상생활을 유지하는 것이 중요하다. 아침에 일어나고 씻고 밥때 되면 밥 먹고 어느 정도 햇살도 맞으며 버티는 것이다. 시간이 조금씩 지나 그 혹독한 터널도 끝이 보이기 시작하면, 삶의 이탈을 막으시고 나를 지키신 주님의 동행을 느끼게 된다. 내 고통보다 더 중요한 것은 주님과 함께함이다. 내 기도가 응답되는가보다 내가 얼마나 주님을 닮아 가는가에 집중해야 한다. 거룩하신 하나님의 뜻을 깨닫고 말씀에 순종하기 위해 기도하며 내 뜻을 내려놓는 작업을 해야 한다. 기도 시간의 길이는 중요하지 않다. 기도가 잘 나오지 않을 때도, 아무 말 할 수 없을 때도 주님을 붙잡는 것이다. 말씀을 붙잡고 버티는 것이다. 포도나무 가지인 우리는 주님께 붙어 있으면 산다. _규장

한절 묵상

하늘의 문은
겸손한 사람의
진실한 두드림으로
열린다.
– 오스왈드 챔버스

시편 131편 1절 | 다윗은 겸손함이 긍휼을 얻는 길임을 알기에 겸손함으로 하나님께 나아갑니다. 그는 교만함으로 하나님께 나아가는 것이 얼마나 헛된지를 잘 압니다. 그래서 그는 "겸손한 자는 먹고 배부를 것이며"(시 22:26), "하나님께서 구하시는 제사는 상한 심령이라"(시 51:17)라고 고백합니다. 온유와 겸손은 예수 그리스도의 대표적 품성입니다. 우리가 겸손을 추구하며 날마다 겸손으로 옷 입을 때(골 3:12), 하나님이 사랑으로 함께하십니다.

27 · 주님 계신 곳에 참된 만족과 구원이 있습니다

시편 132:1~18

[성전에 올라가는 노래]

1 여호와여 다윗을 위하여 그의 모든 겸손을 기억하소서 2 그가 여호와께 맹세하며 야곱의 전능자에게 서원하기를

1 LORD, remember David and all his self-denial. 2 He swore an oath to the LORD, he made a vow to the Mighty One of Jacob:

3 내가 내 장막 집에 들어가지 아니하며 내 침상에 오르지 아니하고 4 내 눈으로 잠들게 하지 아니하며 내 눈꺼풀로 졸게 하지 아니하기를 5 여호와의 처소 곧 야곱의 전능자의 성막을 발견하기까지 하리라 하였나이다

3 "I will not enter my house or go to my bed, 4 I will allow no sleep to my eyes or slumber to my eyelids, 5 till I find a place for the LORD, a dwelling for the Mighty One of Jacob."

6 우리가 그것이 에브라다에 있다 함을 들었더니 나무 밭에서 찾았도다

6 We heard it in Ephrathah, we came upon it in the fields of Jaar:

7 우리가 그의 계신 곳으로 들어가서 그의 발등상 앞에서 엎드려 예배하리로다 8 여호와여 일어나사 주의 권능의 궤와 함께 평안한 곳으로 들어가소서 9 주의 제사장들은 의를 옷 입고 주의 성도들은 즐거이 외칠지어다

7 "Let us go to his dwelling place, let us worship at his footstool, saying, 8 'Arise, LORD, and come to your resting place, you and the ark of your might. 9 May your priests be clothed with your righteousness; may your faithful people sing for joy.'"

10 주의 종 다윗을 위하여 주의 기름 부음 받은 자의 얼굴을 외면하지 마옵소서

10 For the sake of your servant David, do not reject your anointed one.

에브라다(6절) '곡물의 땅'이란 뜻이며, 베들레헴 에브라다로 알려져 있다(미 5:2).

11 여호와께서 다윗에게 성실히 맹세하셨으니 변하지 아니하실지라 이르시기를 네 몸의 소생을 네 왕위에 둘지라 12 네 자손이 내 언약과 그들에게 교훈하는 내 증거를

오늘의 찬송 (새 95 통 82 나의 기쁨 나의 소망 되시며)

나의 기쁨 나의 소망 되시며 나의 생명이 되신 주 밤낮 불러서 찬송을 드려도 늘 아쉰 마음뿐일세/ 주의 자비롭고 화평한 얼굴 모든 천사도 반기며 주의 놀라운 진리의 말씀에 천지가 화답하도다/ 나의 진정 사모하는 예수님 음성조차도 반갑고 나의 생명과 나의 참소망은 오직 주 예수뿐일세 아멘

지킬진대 그들의 후손도 영원히 네 왕위에 앉으리라 하셨도다

11 The LORD swore an oath to David, a sure oath he will not revoke: "One of your own descendants I will place on your throne. 12 If your sons keep my covenant and the statutes I teach them, then their sons will sit on your throne for ever and ever."

13 여호와께서 시온을 택하시고 자기 거처를 삼고자 하여 이르시기를

13 For the LORD has chosen Zion, he has desired it for his dwelling, saying,

14 이는 내가 영원히 쉴 곳이라 내가 여기 거주할 것은 이를 원하였음이로다

14 "This is my resting place for ever and ever; here I will sit enthroned, for I have desired it.

15 내가 이 성의 식료품에 풍족히 복을 주고 떡으로 그 빈민을 만족하게 하리로다 16 내가 그 제사장들에게 구원을 옷 입히리니 그 성도들은 즐거이 외치리로다

15 I will bless her with abundant provisions; her poor I will satisfy with food. 16 I will clothe her priests with salvation, and her faithful people will ever sing for joy.

17 내가 거기서 다윗에게 뿔이 나게 할 것이라 내가 내 기름 부음 받은 자를 위하여 등을 준비하였도다 18 내가 그의 원수에게는 수치를 옷 입히고 그에게는 왕관이 빛나게 하리라 하셨도다

17 "Here I will make a horn grow for David and set up a lamp for my anointed one. 18 I will clothe his enemies with shame, but his head will be adorned with a radiant crown."

오늘의 말씀 요약

시편 기자는 하나님의 처소를 발견하기까지 잠들지 않으려 한 다윗을 기억해 달라고 간구합니다. 그리고 자신들이 에브라다에서 찾은 권능의 궤와 함께 하나님이 평안한 곳에 들어가시길 요청합니다. 하나님은 다윗의 자손을 영원히 왕위에 앉히시고, 시온을 그분의 거처로 삼겠다 하셨습니다.

뿔(17절) 강한 힘, 높아짐 등을 상징한다.

하나님의 처소를 발견하기까지
132:1~10

하나님을 삶의 중심에 모시려면 겸손해야 합니다. 다윗은 사울 시대에 방치되었던 여호와의 궤(언약궤)를 삶의 중심에 놓기 원했습니다. 언약궤를 둘 곳인 성막 곧 하나님의 임재 처소를 찾기까지 개인의 안위를 구하지 않겠다고 맹세했습니다. 하나님 백성은 인간적인 방법이 아닌 하나님의 방법을 따라야 합니다. 그런데 다윗이 율법대로 궤를 옮기지 않아 웃사가 죽임을 당했고, 다시 궤를 메어 성으로 올릴 때는 사울의 딸 미갈이 다윗을 업신여겼습니다(삼하 6장). 그럼에도 다윗은 모든 어려움을 딛고 궤를 예루살렘으로 옮겨 왔습니다. 시편 기자는 다윗 언약을 근거로, 기름 부음 받은 자의 기도를 물리치지 마시길 주님께 간구합니다(10절). 주님은 그분을 간절히 찾는 자를 기억하시고 외면하지 않으십니다.

주님을 향한 다윗의 열정은 어떠했나요? 삶의 우선순위를 점검하며, 요즘 나는 주님을 얼마나 갈망하는지 돌아보세요.

다윗에게 맹세하신 하나님의 약속
132:11~18

하나님을 사랑하는 자가 하나님의 사랑을 입습니다(잠 8:17). 하나님을 삶의 중심에 모시려는 다윗에게 하나님은 그의 후손을 통해 왕위가 보존되리라 약속하셨습니다. 그리고 그들이 하나님의 언약에 충실하기를 기대하셨습니다. 사실 시온(예루살렘)에 거하시는 것은 하나님 스스로가 원하시는 바였습니다. 그분은 주권적으로 시온을 택하시고 그곳에 풍성한 복을 주십니다. 하나님을 섬기고 예배하는 이들은 구원의 기쁨을 누립니다. 하나님이 통치하시는 곳의 최후 영광은 다윗의 후손으로 오시는 권능의 주 예수 그리스도를 통해 드러납니다. 진정한 안식과 만족은 주님 안에 있습니다. 그러므로 우리는 늘 주님 말씀을 지키기에 힘써야 합니다.

주님이 택하시고 거하시는 곳의 모습은 어떠한가요? 주님이 주시는 복을 누리기 위해 오늘 내가 결단하고 지킬 것은 구체적으로 무엇인가요?

| 오늘의 기도 | 예배하기를 기뻐하고 갈망한 다윗을 기억하시고 받으신 주님! 주님을 중심에 늘 모시는 신실한 예배자로 서길 원하오니, 저를 처소 삼으시고 영원히 함께하소서. 모든 성도가 구원의 옷을 입고 주님의 영광을 보는 그날까지 믿음으로 언약을 붙들게 하소서. |

* 다양한 QT 방식을 배울 수 있도록 이달에는 'SPACE 묵상법'을 소개합니다.

S : Sins to confess (고백해야 할 죄) P : Promises to claim (붙잡아야 할 약속)

A : Actions to avoid (피해야 할 행동) C : Commands to obey (순종해야 할 명령)

E : Examples to follow (따라야 할 모범)

오늘 내게 주시는 말씀 시편 132:3~5, 7, 11~14

S : 하나님의 임재 처소인 성막을 발견하기 갈망한 예배자 다윗의 마음이 '장막 집〉침상〉잠들지 않는 눈〉졸지 않는 눈꺼풀'이라는 점강법으로 내밀하게 묘사된다(3~5절). '딸아, 네게도 내가 그렇게 중요하니?' 짝사랑하는 사람이 상대의 사랑을 확인하듯 물으시는 주님의 눈빛 앞에서 나는 회개의 말을 토하지 않을 수 없다. '주님, 그 정도의 사모함으로 주님을 찾지는 못했어요. 저를 용서해 주세요.'

P : 성전에 올라가는 이스라엘 백성은 예배자 다윗에게 하나님이 성실히 맹세하셨던 언약(11~12절)을 그분께 상기시켜 드린다. 대학 생활을 하는 딸과 아들을 위한 기도 1순위는 '캠퍼스에서 함께 예배드릴 친구들을 만나 예배로 승리하게 하소서.'이다. '네가 내 언약과 증거를 지킨다면, 내가 네 자녀와 그들의 후손을 끝까지 예배자로 붙들어 줄 것이다!'라는 하나님의 약속으로 이 말씀을 받는다.

A :

C : 내가 기억하고 지킬 것은 무엇일까? 13~14절을 묵상하는 중에, 하나님이 거처로 택하신 시온의 회복을 위해 기도하고 힘쓰라는 명령을 듣는다. 열방이 다윗의 자손으로 오신 예수님을 메시아로 믿고 하나님 나라로 온전히 회복되도록 기도하자. 나 자신과 가족, 교회 공동체가 하나님이 마음 놓고 쉬실 수 있는 안식처가 되도록 순전한 예배자의 마음과 자리를 지켜 가자.

E : "우리가 그의 계신 곳으로 들어가서 그의 발등상 앞에서 엎드려 예배하리로다"(7절). 주님은 그분을 안식처 삼아 그 발 앞에 엎드려 예배하는 백성을 안식처 삼으신다. 날마다 1시간 성경 묵상과 1시간 기도로 주님과 내가 안식처를 공유하는 하나 됨의 신비를 맛보기 원한다.

나의 기도
저와 가족, 교회 공동체가 주님이 찾으시는 안식처 되기를 갈망하며 기도합니다. 자녀의 학교에도 주님을 향한 예배의 불이 꺼지지 않게 하소서.

영혼을 살리는 글을 쓰게 하소서

어릴 적 내 꿈은 작가가 되는 것이었다. 그러나 꿈꾸던 것과는 다른 길을 가게 되었다. 결혼을 하고 아이들을 낳고 안정된 삶을 살았지만, 때로 세상 모든 것이 시시하게 느껴졌다. 막내가 초등학교에 들어갔을 즈음, 나는 못다 이룬 작가의 꿈에 다시 도전하기로 했다. 거의 20년 만에 글쓰기에 몰입했다. 그러다 보니 글 쓸 시간을 방해받지 않으려고 도움이 필요한 주위 사람들을 외면하며 냉정하게 처신했다. 금방이라도 유명 작가가 될 것처럼 교만한 마음까지 생겼다. 그런데 정작 공모전에서는 번번이 낙선했고, 나는 깊은 공허감에 빠져 허우적거렸다.

그때 하나님께 나아가지 않고, 손에 잡히는 대로 세상 책들을 가까이한 것이 내 영혼을 병들게 했다. 영혼의 상처와 방황을 다룬 소설책들을 탐독했는데, 소설 속 주인공들에게 지나치게 감정을 이입하다 보니 정서적으로 더욱 침체되었다. 피로를 무릅쓰고 계속 글을 쓰며 몸까지 쇠잔했던 터라 공황 장애와 우울 증상까지 겪게 되었다. 힘겨워하는 나를 위해 담임 목사님이 기도해 주시며 성경을 읽도록 권해 주셨다. 처음에는 시편을 반복해서 읽었다. 내 영과 육이 말씀으로 인해 깨끗해지는 것을 느꼈다. 아무리 좋은 것도 그것을 하나님보다 더 사랑하고 즐거워하면 우상이 되고 중독과 사망의 덫에 빠지게 됨을 깨달았다. 모태 신앙으로 45년간 교회를 다니며 한 번을 제대로 읽어 보지 않은 성경을 처음부터 읽어 나갔다. 말씀에 나를 비추어 보며, 하나님 사랑으로 만족하지 못하고 세상 명예와 허탄한 것들에 마음을 빼앗겼던 지난날의 잘못을 회개했다. 겸손한 마음으로 지체를 섬기지 못하고, 교회에서 직분을 받고도 충성하지 않았던 내 모습을 돌아보게 되었다.

QT를 시작하고 미가서를 묵상할 때 이런 구절이 다가왔다. "…나는 엎드러질지라도 일어날 것이요 어두운 데에 앉을지라도 여호와께서 나의 빛이 되실 것임이로다"(미 7:8). 말씀의 능력으로 일어설 힘이 생겼다. 다시 꿈꾸게 되었다. 세상에서 지쳐 쓰러진 영혼을 위한 글, 그들을 살리는 글을 쓰게 해 달라고 기도하기 시작했다. 탁월한 글을 쓰지 못할지라도, 하나님의 인도하심을 따라 거룩함을 추구하며 내게 주시는 사명을 이루게 되길 소망한다. 허탄한 것을 좇아 살다가 넘어져 절망의 그늘에 앉았던 나를 돌아보시고 한량없는 기쁨을 누리게 하신 주님을 찬양한다.

박호숙 | 캐나다 애버츠퍼드

넷째 주

보라 형제가 연합하여 동거함이 어찌 그리 선하고 아름다운고…
거기서 여호와께서 복을 명령하셨나니 곧 영생이로다(시 133:1~3).

28 · 하나 되어 주님을 예배하며 영생을 누리는 공동체

시편 133:1~134:3

[다윗의 시 곧 성전에 올라가는 노래]

1 보라 형제가 연합하여 동거함이 어찌 그리 선하고 아름다운고

1 How good and pleasant it is when God's people live together in unity!

2 머리에 있는 보배로운 기름이 수염 곧 아론의 수염에 흘러서 그의 옷깃까지 내림 같고

2 It is like precious oil poured on the head, running down on the beard, running down on Aaron's beard, down on the collar of his robe.

헐몬(3절) '거룩한 산'이란 뜻이다. 헐몬에 쌓여 있던 눈이 녹아내리면 요단강으로 흘러들어 이스라엘 땅의 주요 수원 역할을 했다.

3 헐몬의 이슬이 시온의 산들에 내림 같도다 거기서 여호와께서 복을 명령하셨나니 곧 영생이로다

3 It is as if the dew of Hermon were falling on Mount Zion. For there the LORD bestows his blessing, even life forevermore.

오늘의 찬송 (새 40 통 43 찬송으로 보답할 수 없는)

(경배와 찬양) 우리 모일 때 주 성령 임하리 우리 모일 때 주 이름 높이리 우리 마음 모아 주를 경배할 때 주님 축복하시리 주님 축복하시리

[성전에 올라가는 노래]

1 보라 밤에 여호와의 성전에 서 있는 여호와의 모든 종들아 여호와를 송축하라

1 Praise the LORD, all you servants of the LORD who minister by night in the house of the LORD.

2 성소를 향하여 너희 손을 들고 여호와를 송축하라

2 Lift up your hands in the sanctuary and praise the LORD.

3 천지를 지으신 여호와께서 시온에서 네게 복을 주실지어다

3 May the LORD bless you from Zion, he who is the Maker of heaven and earth.

오늘의 말씀 요약

형제가 연합해 동거함은 보배로운 기름이 머리에서 옷깃까지 흐름과 같고, 헐몬의 이슬이 시온의 산들에 내림과 같습니다. 시편 기자는 밤에 성전에 서 있는 하나님의 모든 종에게 성소를 향해 손을 들고 하나님을 송축하라고 합니다. 천지를 지으신 하나님이 시온에서 그들에게 복을 주실 것입니다.

연합의 아름다움, 주님을 찬양하는 종들
133:1~134:3

성도들이 연합해 하나님을 송축하는 것이 성전에 올라가는 노래의 절정을 이룹니다. 믿음의 지체들이 하나 됨이 좋고 아름다운 이유는 그것이 본래 사람을 지으신 하나님 뜻에 합한 모습이기 때문입니다. 죄가 가져온 비극은 사람들이 자기중심으로 살며 남보다 더 높아지고 더 가지려 다투는 것입니다. 그러나 하나님 백성은 제사장 아론의 머리에 부어진 기름이 옷깃까지 흘러내림같이 공동체 전체의 거룩함을 추구합니다. 자기가 최고임을 뽐내기보다, 북쪽의 높은 산 헐몬의 이슬(물)이 요단의 낮은 산들에 내림같이 풍요로움을 함께 나눕니다. 이는 하나님이 복을 명령하셔서 나타나는 결과입니다(133:3; 미 4:3~4). 하나님을 주인으로 모시고 섬기는 모든 종이 깨어 찬양하고 예배할 때 그분은 복을 주십니다(134:1~3). 창조주 하나님의 복이 신앙 여정의 동력입니다.

시편 기자는 형제가 연합해 동거하는 아름다움을 어떻게 묘사하나요? 믿음의 공동체가 하나 되어 풍성한 복을 함께 누리도록 나는 무엇을 할 수 있나요?

주일 가족 QT 나눔

▶ **마음 모으기**
찬양과 기도로 시작하기

▶ **마음 열기**
한 주간 하나님이 내게 행하신 일(은혜) 나누기

▶ **가족 QT 나누기**
'관찰, 적용과 나눔' 질문 활용하기

▶ **하나님 성품 닮아 가기**
닮아 갈 하나님(성부, 성자, 성령)의 성품을 기록하고 나누기

▶ **함께 기도하기**
한 주간 가족이 함께 기도할 기도 제목을 정하고 기도하기

▶ **주기도문으로 마치기**

1 **관찰** 시편 기자는 아론의 머리에 흐르는 보배로운 기름과 헐몬의 이슬이 내리는 모습을 묘사함으로 결국 무엇을 강조하고자 했나요?(133:1~3)

적용과 나눔 나는 어떤 경우에 성도들의 연합이 아름답다고 느끼는지 함께 나누어 보세요.

2 **관찰** 성전에 있는 여호와의 모든 종이 공통으로 할 일은 무엇인가요?(134:1~2)

적용과 나눔 우리 가족이 함께 주님을 예배하는 복을 누리게 하심에 감사하며, 주님을 높이고 찬양하는 말을 한마디씩 해 보세요.

설교 노트

제목 : _____

본문 : _____

내용 :

국내

'코리안 드림'을 품고 왔다가 몸과 마음이 만신창이가 되는 이주 노동자가 매년 늘고 있다. 이들 중 상당수가 임금 체불을 경험하고, 근무 중 폭언이나 폭행을 당한다. 제대로 된 교육 없이 위험한 업무에 투입돼 산업 재해에도 빈번히 노출된다. 이들이 주님을 만나고, 안전하게 일할 수 있는 환경이 조성되길 기도하자.

국외

유엔은 18세 미만의 아동과 청소년을 정규 또는 비정규 병력으로 징집하는 것을 금지한다. 그러나 여전히 소말리아, 남수단, 시리아 등 50여 개국에서 30만 명 이상의 소년병이 징집되어 생사를 넘나드는 것으로 추정된다. 모든 소년병이 안전한 가정과 사회의 품으로 돌아갈 수 있도록 기도하자.

29 · 하나님의 큰 행적을 찬양하고 대대로 기념하라

시편 135:1~14

1 할렐루야 여호와의 이름을 찬송하라 여호와의 종들아 찬송하라

1 Praise the LORD. Praise the name of the LORD; praise him, you servants of the LORD,

2 여호와의 집 우리 여호와의 성전 곧 우리 하나님의 성전 뜰에 서 있는 너희여

2 you who minister in the house of the LORD, in the courts of the house of our God.

3 여호와를 찬송하라 여호와는 선하시며 그의 이름이 아름다우니 그의 이름을 찬양하라

3 Praise the LORD, for the LORD is good; sing praise to his name, for that is pleasant.

4 여호와께서 자기를 위하여 야곱 곧 이스라엘을 자기의 특별한 소유로 택하셨음이로다

4 For the LORD has chosen Jacob to be his own, Israel to be his treasured possession.

5 내가 알거니와 여호와께서는 위대하시며 우리 주는 모든 신들보다 위대하시도다

5 I know that the LORD is great, that our Lord is greater than all gods.

6 여호와께서 그가 기뻐하시는 모든 일을 천지와 바다와 모든 깊은 데서 다 행하셨도다

6 The LORD does whatever pleases him, in the heavens and on the earth, in the seas and all their depths.

7 안개를 땅끝에서 일으키시며 비를 위하여 번개를 만드시며 바람을 그 곳간에서 내시는도다

7 He makes clouds rise from the ends of the earth; he sends lightning with the rain and brings out the wind from his storehouses.

오늘의 찬송 (새 67 통 31 영광의 왕께 다 경배하며)

영광의 왕께 다 경배하며 그 크신 사랑 늘 찬송하라 예부터 영원히 참방패시니
그 영광의 주를 다 찬송하라/ 능력과 은혜 다 찬송하라 그 옷은 햇빛 그 집은
궁창 큰 우레 소리로 주 노하시고 폭풍의 날개로 달려가신다

---

8 그가 애굽의 처음 난 자를 사람부터 짐승까지 치셨도다

8 He struck down the firstborn of Egypt, the firstborn of people and animals.

9 애굽이여 여호와께서 네게 행한 표적들과 징조들을 바로와 그의 모든 신하들에게 보내셨도다

9 He sent his signs and wonders into your midst, Egypt, against Pharaoh and all his servants.

10 그가 많은 나라를 치시고 강한 왕들을 죽이셨나니

10 He struck down many nations and killed mighty kings—

11 곧 아모리인의 왕 시혼과 바산 왕 옥과 가나안의 모든 국왕이로다

11 Sihon king of the Amorites, Og king of Bashan, and all the kings of Canaan—

12 그들의 땅을 기업으로 주시되 자기 백성 이스라엘에게 기업으로 주셨도다

12 and he gave their land as an inheritance, an inheritance to his people Israel.

13 여호와여 주의 이름이 영원하시니이다 여호와여 주를 기념함이 대대에 이르리이다

13 Your name, LORD, endures forever, your renown, LORD, through all generations.

14 여호와께서 자기 백성을 판단하시며 그의 종들로 말미암아 위로를 받으시리로다

14 For the LORD will vindicate his people and have compassion on his servants.

오늘의 말씀 요약

하나님의 종들은 그분의 선하심과 아름다운 이름을 찬양해야 합니다. 하나님은 모든 신보다 위대하시며, 그분이 기뻐하시는 일을 다 행하십니다. 이스라엘을 그분의 특별한 소유로 택하시고 애굽의 장자를 치셨습니다. 가나안의 강한 왕들을 죽이시고 그들의 땅을 이스라엘에게 기업으로 주셨습니다.

이스라엘을 택하신 여호와를 찬송하라 135:1~7

하나님을 찬송함은 우리의 창조 목적입니다. 하나님은 영광받기 위해 이스라엘을 택하셔서 그분의 이름을 찬송하는 특권을 주셨습니다(1절; 사 42:8; 43:21). 그리고 그 목적을 이루시고자 하나님의 소유 된 백성에게 그분의 선하심과 일하심을 경험하게 하십니다. 하나님은 무엇이든 원하시는 일을 다 하실 수 있는 분입니다. 자연을 통제할 수 없는 거짓 신들과 달리, 하나님은 안개·비·번개·바람 등을 주관하셔서 그분이 가장 위대하심을 우리 삶의 현장에서 목격하게 하십니다. 그리하여 하나님 백성은 하나님에 관해 말할 때 남에게 들은 것을 전달하듯 하지 않고 '내가 알거니와'(5절)라고 확신 있게 이야기하며 그분을 높입니다. 찬양은 진실로 하나님을 아는 사람의 마땅한 반응입니다.

이스라엘이 하나님을 찬양해야 하는 이유는 무엇인가요? 나는 말씀 속에서, 그리고 내 삶에서 알게 된 하나님을 어떤 방식으로 찬양하나요?

대대로 기념할 능력의 여호와 135:8~14

하나님은 자기 백성을 위해 큰 능력을 끊임없이 나타내십니다. 여호와(스스로 있는 자, 출 3:14)에 필적할 상대는 이 세상에 없습니다. 애굽의 바로가 이스라엘을 노예로 삼고 압제하며 놓아주지 않으려 하자, 하나님은 애굽의 처음 난 자를 치심으로 바로를 굴복시키셨습니다. 또한 그분은 이스라엘의 가나안 진입을 방해한 나라들과 강한 왕들을 치셨습니다(수 12장). 이처럼 여호와 하나님의 이름이 새겨지지 않은 역사의 현장은 없습니다. 하나님은 그분의 백성을 긍휼히 여기셔서 변호(판단, 14절)하시고 구원하십니다. 택하신 백성을 위한 하나님의 역사는 멈추지 않습니다. 그러므로 우리는 그분을 영원토록 마음에 새기고 경외해야 합니다.

하나님은 백성에게 그분의 이름을 어떤 방식으로 기억하게 하셨나요? 오랜 세월이 흘러도 내가 잊지 말아야 할 하나님의 역사는 무엇인가요?

오늘의 기도

저를 특별한 소유로 택하심은 주님의 이름을 찬송하게 하시기 위함인 줄 깨닫습니다. 주님의 선하심과 위대하심을 매일 생생히 경험해 구체적으로 찬양하게 하소서. 인생의 자락마다 동행하시고 친히 싸워 주신 주님을 기념하며 저만의 시편을 이어 가게 하소서.

하나님 사랑의 음성만 들을 수 있다면

어둠 속을 걸어가는
용기/
박성근

싱가포르 믿음침례교회를 담임하는 로렌스 콩 목사님이 목회 초기의 어려움을 회고한 적이 있습니다. 성도 300명 정도가 모여서 시작된 교회에서 무슨 이유에서인지 한 주 한 주 성도가 떠났습니다. 이것이야말로 목회자의 피를 말리는 일입니다. 이것 자체도 마음의 짐이고 아픔인데, 다른 성도들에게 비난받는 것은 더 낙심되는 일이었습니다. 어느 날 목사님이 혼자 성경을 읽는데, 그때 본문 말씀이 마가복음 1장 9~11절이었습니다. 예수님이 요단강에서 세례받고 올라오실 때 성령이 비둘기같이 임하고 하나님의 음성이 들리는 그 장면에서, 실제로 하나님이 자기 앞에 바로 나타나 이렇게 말씀하시는 것 같았답니다. "교인들이 떠나가느냐? 괜찮다, 내 아들아. 내가 너를 사랑한다. 내가 너를 기뻐한다. 사람들이 너를 비난하고 책망하느냐? 걱정하지 마라, 내 아들아. 내가 너를 사랑하고 기뻐한다."

사람들로 인해 아무리 고통과 상처를 받았더라도 하나님이 나를 택하시고 사랑하시고 기뻐하신다면 그것으로 족합니다. 누구에게나 이 음성이 필요합니다. 사람들의 판단과 평가에 인생을 걸어서는 안 됩니다. 하나님이 나를 사랑하고 기뻐하신다는 언약의 음성을 들으면, 우리는 비로소 찬송하고 감사할 수 있습니다. 하나님이 이스라엘을 그분의 특별한 소유로 여기셨듯 우리를 존귀히 여기시기에, 우리는 하나님의 일을 기쁘게 감당할 수 있습니다. 날마다 하나님의 이름을 찬송할 수 있습니다. _두란노

한절 묵상

영적 기쁨은
감사함으로 찬양할 때
우리 마음과 영혼에
샘솟는다.
– 매튜 헨리

시편 135편 5절 | '하나님에 관해 아는'(knowing about God) 사람이 있고, '하나님을 아는'(knowing God) 사람이 있습니다. 전자는 단지 지식에 기초해 하나님을 설명합니다. 후자는 하나님을 만나서 알게 된 생생한 경험에 기초해 하나님을 증언합니다. 다른 모든 신과 비교할 수 없이 위대하신 하나님은 '세상의 약한 것들을 택하사 강한 것들을 부끄럽게'(고전 1:27) 하시는 분입니다. 성도는 자신의 삶에 새겨진 하나님의 위대하심을 세상에 전해야 합니다.

30 · 생명 없는 우상을 의지하면 생명 없는 삶이 됩니다

시편 135:15~21

15 열국의 우상은 은금이요 사람의 손으로 만든 것이라

15 The idols of the nations are silver and gold, made by human hands.

16 입이 있어도 말하지 못하며 눈이 있어도 보지 못하며

16 They have mouths, but cannot speak, eyes, but cannot see.

17 귀가 있어도 듣지 못하며 그들의 입에는 아무 호흡도 없나니

17 They have ears, but cannot hear, nor is there breath in their mouths.

18 그것을 만든 자와 그것을 의지하는 자가 다 그것과 같으리로다

18 Those who make them will be like them, and so will all who trust in them.

오늘의 찬송 (새 322 통 357 세상의 헛된 신을 버리고)

(경배와 찬양) 하늘 위에 주님밖에 내가 사모할 자 이 세상에 없네 내 맘과 힘은 믿을 수 없네 오직 한 가지 그 진리를 믿네 주는 나의 힘이요 주는 나의 힘이요 주는 나의 힘이요 영원히 주를 의지하리 주는 나의 힘이요 주는 나의 힘이요 주는 나의 힘이요 영원히 주를 의지하리 영원히

---

19 이스라엘 족속아 여호와를 송축하라 아론의 족속아 여호와를 송축하라

19 All you Israelites, praise the LORD; house of Aaron, praise the LORD;

20 레위 족속아 여호와를 송축하라 여호와를 경외하는 너희들아 여호와를 송축하라

20 house of Levi, praise the LORD; you who fear him, praise the LORD.

21 예루살렘에 계시는 여호와는 시온에서 찬송을 받으실 지어다 할렐루야

21 Praise be to the LORD from Zion, to him who dwells in Jerusalem. Praise the LORD.

오늘의 말씀 요약

열국의 은금 우상은 사람의 손으로 만든 것입니다. 그것들은 말하지 못하고, 보지 못하고, 듣지 못하며, 아무 호흡도 없습니다. 우상을 만든 자와 의지하는 자가 다 그것과 같게 됩니다. 하나님을 경외하는 이스라엘은 그분을 송축해야 합니다. 하나님은 시온에서 찬송받으실 것입니다.

사람의 손으로 만든 우상
135:15~18

하나님은 흙으로 사람을 지으시고 생기를 그 코에 불어 넣어 생령이 되게 하셨습니다(창 2:7). 그런데 사람이 하나님 흉내를 내어 물질로 형상을 만들어도, 자기 호흡을 불어 넣어 그 대상이 살아 있는 존재가 되게 하지는 못합니다. 우상은 생명도 인격도 없는 허무한 대상에 불과합니다. 우상을 만든 자와 그것을 의지하는 자는 그 우상과 같게 됩니다. 하나님과의 소통이 막혀 영적 실상을 인지하지 못하고, 물질이 썩듯 마음이 부패합니다(16~17절; 사 6:9; 고후 11:3). 전능자 하나님만을 의지하고 섬겨야 할 백성의 마음이 무능한 우상에게로 향하면 하나님의 질투를 불러일으킵니다. 하나님이 엄히 경고하셨듯 우상 숭배자들에게는 죄를 갚으시는 하나님의 진노가 임합니다(출 20:4~5).

우상을 만들고 의지하는 사람은 어떻게 되나요? 내가 요즘 생명력 없이 살고 있다면 그 이유는 무엇인지 점검해 보세요.

시온에서 찬송받으실 하나님
135:19~21

하나님을 찬양하지 않는 사람은 그 자신이나 우상을 높이고 있는 것과 다름없습니다. 찬송은 성소에서 봉사하는 제사장들이나 레위 사람들만 하는 일이 아닙니다. 하나님을 경외하는 백성 모두가 전심으로 행할 바입니다. 우상과 견줄 수 없는 참신이신 하나님이 예루살렘에 계시기에 그분을 송축함은 시온(예루살렘)의 모든 백성이 매일 즐겁게 할 일입니다. 하나님의 임재가 얼마나 영광스러운 것인지 알지 못한 채 그분을 높이지 않는 행태는 그가 목이 곧고 지각이 없는 백성이라는 증거입니다(신 9:12~13; 렘 4:22). 찬양은 예배 공동체로 모인 성도가 임마누엘 하나님께 감사의 마음을 공식적으로 표현하는 언어입니다(골 3:16).

하나님은 어디에서 누구로부터 송축과 찬양을 받으시나요? 나는 예배의 능동적 참여자임을 어떻게 나타내고 있나요?

오늘의 기도

저 자신의 욕망을 위해 만들어 의지하는 우상을 제거하기 원합니다. 화려한 겉모습과 재물과 세상 것에 자꾸 마음을 빼앗기는 제게 경고로 주시는 말씀을 귀담아듣게 하소서. 살아 계신 하나님을 경외하는 성도들의 입술과 삶을 통해 하나님만 높임받으소서.

진정한 예배

내 인생, 여기서
끝나지 않는다/
서창희

세계적인 톱 모델로 활동했던 제니퍼 스트릭랜드는 「걸 퍼펙트」라는 책에서 한 남자를 열렬히 사랑한 것을 회상합니다. 제니퍼는 그를 깊이 사랑하면서도 동시에 그가 자신을 떠나면 어쩌나 염려했습니다. 무조건적인 용납과 결코 떠나지 않는 사랑에 대한 열망을 그가 채워 주길 바랐지만 결국 그렇지 못했습니다. 그녀는 자신의 갈망을 채워 줄 수 있는 것은 하나님 외에는 없다고 고백합니다.

예배가 무엇입니까? 무조건 용납해 주고 결코 떠나지 않는 사랑을 채워 주는 대상에게 매이는 것, 이것이 예배입니다. 그러므로 교회 다니는 사람만 예배하는 게 아니라 모든 사람이 무언가를 예배합니다. 어떤 사람에게는 예배의 대상이 사람이고, 어떤 사람에게는 지위나 돈입니다. 아무리 헌금을 드리고 선한 일을 하고 열심히 기도하고 하나님의 도우심을 구하며 살더라도, 내게 무조건적인 용납과 인정을 준다고 믿는 그 예배의 대상이 하나님이 아니라면 우리 인생은 피폐해질 뿐입니다. 돈을 예배한다면 당신은 언제나 돈이 부족하다고 느낄 것입니다. 외모와 성적 매력을 예배한다면 언제나 자신이 초라하다고 느낄 것입니다. 하나님 자리에 다른 대상을 두고 예배한다면, 그것이 우상이고 중독입니다. 중요한 것은 진심이 아니라 대상입니다. 우리의 필요를 궁극적으로 채워 줄 존재가 누구(무엇)입니까? 그 대상인 하나님을 바로 찾아가는 것이 진정한 예배입니다. _생명의말씀사

한절 묵상

우리 인생은
만들어진 우상에 의해
결정되지 않는다.
인생의 유일한 답은
창조주 하나님이시다.
– 하용조

시편 135편 15, 18절 | 하나님 이외 신이라 일컫는 모든 것은 인조신(人造神), 즉 가짜 신입니다. 생명의 근원이신 하나님을 의지하면 영원한 생명을 누리지만, 생명 없는 우상을 의지하면 우상처럼 죽은 피조물이 되고 맙니다. 사람들이 자기 욕망대로 세상에서 부와 권력을 얻고자 우상을 따르지만 그 결과는 비참할 뿐입니다. 칼빈은 "인간의 마음이 우상 공장이다."라고 했습니다. 마음속 하나님 자리를 우상에게 내주지 않는 비결은 하나님과의 친밀한 교제입니다.

참고 도서

이번 호 '묵상 에세이'는 아래의 책들을 참고했습니다.

겁나지만 겁내지 않는다
김종원
(넥서스CROSS, 2017)

골리앗 끝장내기
루이 기글리오
(두란노, 2018)

기도가 시작이다
최영식
(홍성사, 2012)

꿈으로 사는 비전 인생
이동원
(요단, 2005)

**내 인생,
여기서 끝나지 않는다**
서창희
(생명의말씀사, 2018)

내가 왕바리새인입니다
허운석
(두란노, 2016)

너 하나님의 사람아
구자억
(규장, 2015)

**더 이상 내려갈 곳이
없었다**
홍민기
(규장, 2019)

뜻밖의 축복
조정민
(두란노, 2019)

**모든 교인은
교회의 리더다**
김원태
(브니엘, 2019)

믿음은 동사다
조성현
(두란노, 2019)

**상황에 끌려다니지
않기로 했다**
켄 시게마츠
(두란노, 2019)

성품 속에 담긴
축복의 법칙
강준민
(두란노, 2006)

안녕, 기독교
김정주
(토기장이, 2019)

어둠 속을 걸어가는
용기
박성근
(두란노, 2015)

완벽은 우리 몫이
아닙니다
김경진
(두란노, 2019)

인격의 제자 훈련
박영선
(복있는사람, 2019)

인생의 바람이 불 때
이규현
(두란노, 2015)

일상 순례자
김기석
(두란노, 2014)

춤추는 예배자
솔로몬의 축복
김병태
(브니엘, 2010)

하나님 대답을 듣고
싶어요
박명수
(CLC, 2019)

하나님의 광야 학교
고영완
(예수전도단, 2019)

하나님의 사람,
너의 설 곳은 세상이다
김문훈
(예영커뮤니케이션, 2003)

하나님의 청년은
시대를 탓하지 않는다
이승장
(규장, 2004)

하나님이 내시는 길
한홍
(규장, 2017)

참고 도서

이번 호 '예배 단상', '한절 묵상', '명언'은 아래의 책들을 참고했습니다.

예배 단상

예배드림
공진수 (두란노, 2008)

한절 묵상

BKC 강해 주석 3 민수기·신명기
유진 메릴·잭 디어 (두란노, 2016)

교회와 함께 읽는 신명기
이희성 (그리심, 2012)

구속사의 관점에서 본 구약성경 파노라마 5 신명기
유도순 (머릿돌, 2016)

구약 강해 설교 대사전 신명기
김경행 (성서연구사, 1989)

구약 주석 4 신명기
박윤선 (영음사, 1987)

매튜 헨리 성경 주석 시리즈 6 신명기
매튜 헨리 (기독교문사, 1989)

베이커 성경 주석 8 신명기
J. 올렌데일 (기독교문사, 1992)

새벽 만나 신명기
이세용 (만나북스, 2017)

신명기 연구
최규철 (인바이블, 2019)

신명기는 무엇을 말하는가 2
최낙재 (성약, 2009)

언약을 위한 책
박영선 (세움, 2013)

엑스포지멘터리 신명기
송병현 (EM, 2014)

왕대일 교수의 신명기 강의
왕대일 (대한기독교서회, 2011)

행복은 선택이다
김상복 (햇불, 2010)

호크마 종합 주석 5 신명기
(기독지혜사, 2000)

**독자님들의
이야기를
기다립니다**

「생명의 삶」은 독자 여러분의 사연을 기다립니다. 말씀 묵상의 은혜를 담은 QT 간증문을 아래
주소로 보내 주십시오. 채택되신 분께는 감사의 마음을 담아 두란노 도서 2권을 선물로 보내
드립니다. 아울러 해당 원고는 '삶으로 고백하는 QT'를 비롯해 국내외 「생명의 삶」 지면 및
어플 등에 사용될 수 있음을 알려 드립니다.

이메일 | qtlife@duranno.com   홈페이지 | www.duranno.com/qt
우 편 | (04398) 서울특별시 용산구 서빙고로65길 38 두란노빌딩 701호 「생명의 삶」 편집부 앞

* 분량과 문맥을 고려해 다듬은 부분이 있을 수 있음을 알려 드립니다.

명언

BST 시리즈 신명기 강해
레이먼드 브라운 (IVP, 2012)

가나안 정복 전쟁
제시 펜 루이스 (예루살렘, 2010)

감사의 저녁
하용조 (두란노, 2011)

굳게 서라
존 맥아더 (토기장이, 2015)

그리스도인을 위한 위로
아더 W. 핑크 (UCN, 2005)

기다림
벤 패터슨 (브니엘, 2003)

내면을 가꾸는 여성 묵상
딘 더 한 (홍성사, 2007)

돌파하는 믿음
밥 소르기 (스텝스톤, 2011)

복음이 바꾼다
매트 챈들러·마이클 스네처 (두란노, 2014)

삶의 지혜
매튜 헨리 (생명의말씀사, 2005)

성경이 말하는 하나님의 인도
피터 블룸필드 (성서유니온선교회, 2009)

성공으로 이끄는 창조적인 삶
베리 첸트 (예루살렘, 2005)

스펄전의 기도 레슨
찰스 H. 스펄전 (샘솟는기쁨, 2013)

영의 생각 육의 생각
존 오웬 (생명의말씀사, 2011)

예수만 남겨질 때까지
카터 콜론 (토기장이, 2015)

오스왈드 챔버스의 거룩과 성화
오스왈드 챔버스 (토기장이, 2016)

인도하심
레이 오틀런드·앤 오틀런드 (나침반, 2007)

제임스 패커의 하나님의 인도
제임스 패커·캐롤린 나이스트롬 (생명의말씀사, 2008)

팀 켈러, 하나님을 말하다
팀 켈러 (두란노, 2017)

하나님을 열망하다
R. T. 켄달 (두란노, 2019)

하나님의 임재 연습
로렌스 형제 (두란노, 2018)

하나님이 임재하시는 사역을 분별하라
조지 오티스 주니어 (스텝스톤, 2009)

헌신
앤드류 머레이 (CLC, 2019)

헨리 블랙가비의 하나님을 경험하는 삶의 7단계
헨리 블랙가비 (NCD, 2003)

미주두란노서원 **큐티운동본부** 가 새로워집니다

그동안 여러 모양으로 큐티사역에 동참해주신 각 지역의 교회들과 성도님들께 진심으로 감사드립니다.
저희 **미주두란노서원**은 앞으로도 큐티 활성화를 위한 노력을 아끼지 않을 것을 약속드리며,
보다 양질의 큐티 컨텐츠를 꾸준히 보급하기 위해
QT LIFE Mission(대표: 김은애)과 협약을 맺고 사역을 진행하게 되었습니다.

생명의 삶 구독자 분들의 지속적인 관심과 동참을 부탁드립니다.
아울러 기쁜 마음으로 동참해주신 QT LIFE Mission에게도 감사의 마음을 전합니다.

● QT LIFE Mission은 말씀사랑, 말씀묵상, 말씀실천을 배우고 전파하는
초교파적 모임으로 다양한 큐티사역을 통해 큐티보급에 힘쓰고 있습니다.

[큐티 나눔방 + 배움방] 안내 자세한 내용은 각 지역 담당자를 통해 문의해 주세요.

Fullerton, CA

- 시간 / 목요일 9:50a ~ 12:30p
- 장소 / 은혜의 강 교회
- 대상 / 여성
- 문의 / 714-414-9900, 909-709-4788

Irvine, CA

- 시간 / 금요일 9:50a ~ 12:30p
- 장소 / University UMC
- 대상 / 여성
- 문의 / 949-836-7687, 714-308-9995

Buena Park, CA

- 시간 / 월요일 7pm ~ 9pm
- 장소 / 6131 Orangethorpe Ave. #495
- 대상 / 남성
- 문의 / 213-278-1798

Diamond Bar, CA

- 시간 / 화요일 10a ~ 12:30p
- 장소 / 글로발선교교회
- 대상 / 여성
- 문의 / 562-338-9500, 626-201-0715

모든 큐티사역관련 문의는 qtdurannous@gmail.com으로 연락주세요

미주두란노서원

• 본 지면을 통해 제공해 드렸던 'QT나눔방 교회명단'은 보다 실효성 있는 정보를 제공해 드리고자
개편중에 있습니다. 그동안 함께 해 주신 모든 교회와 담당자 분들께 진심으로 감사드립니다.

P/L/U/S

내게 고통을 주는 사람, 어떻게 해야 하나요?

이상희 / 호산나교회 담임 목사. 프린스턴신학교 구약학 박사

쿠데타로 집권한 뒤 '왕중왕'을 자처했던 카다피의 리비아에서 1980년대 중반에 선교 사역을 한 어느 목사님의 이야기다. 탑승한 로마행 비행기의 이륙이 임박했는데, 놀랍게도 문이 다시 열리고 한 대령이 올라탔다. 빈 좌석이 없음을 안 대령은 아시아인을 지목해 다음 비행기를 타라고 했다. 승객은 탑승권을 보이며 항의했지만 결국 끌려 나갔다. 상식도 법도 없는 폭력적인 권력에 얼어붙은 승객들은 비행 내내 숨을 죽였는데, 반전이 기다리고 있었다. 로마에 도착하자마자 기다리고 있던 경찰이 대령을 공항 밖으로 데려가 발가벗겨 수색하고 짐도 다 풀어 헤쳐 샅샅이 조사한 것이다. 공항을 떠나며 그 광경을 본 목사님 일행은 "야, 거만하게 굴더니, 꼴좋다."라고 소리쳤단다. 지금도 그때를 생각하면 속이 후련해진다고 한다.

모든 행위를 심판하시는 하나님

세상에는 정말 누구라도 참기 힘들 정도로 남을 힘들게 하는 데 열심과 재능을 가진 이들이 많다. 그래서 교인들은 종종 "하나님은 왜 저런 사람들을 벌하지 않으실까?", "어째서 하나님은 저런 사람들을 오래 참으실까?"라고 질문한다. 아니다. 하나님은 벌을 주신다. 어떤 때는 방금 소개한 경우처럼 몇 시간 만에 주시고, 어떤 때는 몇 년 혹은 몇 십 년 만에 주시는 차이만 있을 뿐이다. 이스라엘은 "하나님은 모든 행위와 모든 은밀한 일을 선악 간에 심판하시리라"(전 12:14)라는 말로 이를 후대에 알렸고, 힘없는 자를 위해 분노하시는 하나님을 보며 "하나님은 의로우신 재판장이심이여 매일 분노하시는 하나님이시로다"(시 7:11)라고 찬양했다. 기독교는 용서와 사랑만 강조하는 종교가 아니라 지옥과 천국이 있는 종교, 심판이 있는 종교인 것이다. 세상에 고통이 만연한 것은 심판이 없어서가 아니라 사람마다 각기 자기를 피해자로만 여기고, 자신이 남에게 고통을 주는 가해자임을 인정하지 않기 때문이다.

한나로 사는 인생, 브닌나로 사는 인생

아이 못 낳은 한나에게만 슬픔과 고통이 있는 것이 아니다. 자녀를 많이 낳아 기르

며 애쓰는데도 남편이 하나만 아끼는 것을 보는 브닌나에게도 고통이 있다. 브닌나만 한나를 격동시킨 것이 아니다. 브닌나의 아이들이 먹을 것을 놓고 다툴 때, 먹일 자녀도 없으면서 음식을 배나 받은 한나도 부지중에 브닌나를 격동시킨 것이다. 한나가 잘한 것은 원통할 때 눈물과 기도로 하나님께 나아간 것이다(삼상 1:15~16). 누구의 삶에나 어려움과 아픔이 있기 마련이다. 그때 기도하면 위로와 은혜를 받는 한나가 되고 사람에게 쏟으면 브닌나가 되는 것이다. 마음의 화를 소

재로 한 다큐멘터리를 본 적이 있다. 어릴 때부터 아버지에게 맞고 자라면서 생긴 화를 풀지 못해 자기의 어린 아들을 구타하는 아버지의 이야기였다. 원통할 때 하나님께로 나아가 마음의 불을 꺼야 한다. 그러지 않으면 사랑하는 가족에게까지도 그 원통함과 고통이 이어진다.

므낫세와 에브라임의 이름에서 얻는 지혜
원통한 일을 요셉만큼 많이 겪은 사람이 드물고, 그런 역경을 딛고 요셉만큼 하나님이 주시는 은혜와 복을 많이 받은 사람도 드물다. 그 비결을 요셉 아들들의 이름에서 엿볼 수 있다. 요셉은 장남을 '므낫세'라고 부르며 "하나님이 내게 내 모든 고난과 내 아버지의 온 집 일을 잊어버리게 하셨다"(창 41:51)라고 말한다. 차남을 '에브라임'이라 부르며 "하나님이 나를 내가 수고한 땅에서 번성하게 하셨다"(창 41:52)라고 말한다. 고통은 잊고, 좋은 일을 마음에 담는 것이 하나님이 요셉에게 주신 지혜였던 것이다. 고통스럽게 하는 사람과 사건을 마음에 담는 것은 자기 자신을 해치는 일이다. 만 가지 좋은 것을 가졌던 하만은 자기에게 절하지 않은 한 사람에게 화를 내다가 모든 것을 잃었다(에 3:1, 5). 하만처럼 살지 말고 요셉처럼 살아야 한다. 고통스러운 일들이 줄줄이 이어졌지만, 요셉은 그 일들이 아니라 해와 달과 별들이 자기에게 절할 좋은 날이 오리라는 믿음을 마음에 담았다(창 37:9). 하나님은 그런 요셉을 '바로에게 아버지로 삼으시고 그 온 집의 주로 삼으시며 애굽 온 땅의 통치자'(창 45:8)로 삼으셨다. 좋은 것을 품고 살아야 좋은 열매를 본다. Ⓜ

마태복음 6장 26절·이사야 35장 6절

소명으로 사슴같이 뛰게 하시다

고정욱 / 문학 박사. 「가방 들어 주는 아이」 등의 저자

"왜 나만 못 걸어? 다른 애들은 다 저렇게 뛰어다니는데?" 내가 대여섯 살 때 어머니에게 이런 질문을 했다. 어머니는 한동안 말씀을 못 하시다가 울음을 삼키며 힘겹게 얘기해 주셨다.

"네가 아기였을 때 소아마비에 걸려서 그래." 내가 원하는 답이 아니었다. 병에 걸려 장애인이 된 것은 이미 알고 있었다. 전쟁에 나갔다 팔다리가 절단된 상이군인을 많이 봤기에, 운명이 때로는 가혹하다는 것 역시 짐작하고 있었다. 정말 궁금한 것은 따로 있었다.

걷지 못하게 하신 이유

"왜 하필 나란 말이야? 윗집의 은경이랑 앞집의 애란이도 걸어 다니잖아. 왜 나만 못 걷느냐고. 누가 날 이렇게 만든 거냐고!" 아들이 돌 무렵에 소아마비에 걸려 평생을 장애인으로 살아야만 하는 이유를 어머니 역시 대답할 수 없었을 것이다. 대화가 더는 이루어지지 않았다. '아무 잘못도 하지 않았는데 왜 어린 내가 장애인이 되어야 한다는 말인가.' 생각할수록 억울하고 또 억울했다. 어느 날 길 가던 동네 교회 권사님이 나를 보고는 집까지 쫓아와 대뜸 말씀하셨다. "애야, 하나님 믿으면 낫는다! 걸어 다닐 수 있다." 나는 그 말을 믿고 교회를 다녔다. 교회에서 기도하는 내용은 오직 하나, 기적처럼 걸을 수 있게 해 달라는 거였다. 하지만 아무리 기도해도 응답받지 못했고, 여전히 걷지 못했다.

걷지 못해 학교에도 가지 못할 뻔했던 나를 업어서 등·하교를 시켜 주신 어머니 덕분에 공부를 할 수 있었다. 체육을 제외하고 모든 과목에서 전교 1등을 한 나는 의사가 되고 싶었다. 그러나 장애를 이유로 의대

원서 접수를 거부당했다. 담임 선생님의 권유로 문과 계열로 바꾸어 국문과에 진학했지만 박사 학위를 받고도 교수로 임용되지 못했다. 장애인이 어떻게 칠판에 글을 쓰겠느냐며 대학마다 퇴짜를 놓았다. 신춘문예에 10년 가까이 도전한 끝에 등단에 성공했다. 그러나 소설가로 활동하는 중에도 생계를 걱정해야 했고, 마음속에는 억울함이 남아 있었다. '왜 나만 불리한 여건에서 고생하면서 먹고사는 걸 염려해야 하는가. 남들은 다 잘 살고 있지 않은가.' 그러다 장애가 있는 아이를 소재로 동화 한 편을 쓰게 되었다. 불과 몇 시간 만에 써낸 책이 엄청난 반응을 불러일으켰다. 학교와 도서관, 기업체 등으로부터 '작가와의 만남' 사인회와 강연 요청이 쇄도했다.

경기도 인근의 한 학교에 초청받아 갔을 때였다. 휠체어를 타고 나타난 나를 향해 어린 학생들이 열광했고, 나의 말 한마디 한마디에 뜨거운 반응을 보였다. 강연을 마치고 뿌듯한 보람을 느끼며 집에 돌아오는데, 성경 말씀 한 구절이 뇌리를 스쳤다. "공중의 새를 보라 심지도 않고 거두지도 않고 창고에 모아들이지도 아니하되 너희 하늘 아버지께서 기르시나니 너희는 이것들보다 귀하지 아니하냐"(마 6:26). 나는 차를 갓길에 대고 뜨거운 눈물을 흘렸다. 내 평생 가슴속에 품었던 억울함은 그릇된 것이었다. 하나님은 나를 귀하게 여기셔서 한순간도 놓치지 않고 보살펴 오셨다. 내 장애는 거

룩한 소명이었고, 하나님은 내가 노력하고 애쓴 것과는 비교할 수 없이 귀한 은사와 선물을 허락하신 것이었다.

영광의 십자가가 있기에

내 십자가는 골고다 언덕을 올라가신 예수님의 십자가와는 비교할 수 없었다. 그런데도 어리석은 나는 십자가가 너무 무겁다며 불평했다. 그런 나에게 하나님이 보여 주셨다. 그 고난의 십자가는 찬란한 영광의 십자가였다.

내 소명은 장애의 고통을 가진 이들의 아픔을 알리고, 그들을 향한 하나님의 마음을 보이는 것이다. 지난 30년 동안 작가로 활동하며 「가방 들어 주는 아이」, 「아주 특별한 우리 형」, 「안내견 탄실이」 등 294권의 책을 썼다. 작년에만 350회 강연을 했고, 10권의 책을 발간했다. 내가 한 것이 아니라 모두 다 내게 소명을 주신 하나님의 행하심이었음을 깨닫게 된다.

인간은 누구나 소명을 가지고 이 땅에 온다. 삶의 나침반인 그 소명을 빨리 찾아야 한다. 나는 뒤늦게 소명을 발견했지만 그 후 매일매일 소명의 걸음을 걸었다. 마치 "그때에 저는 자는 사슴같이 뛸 것이며 말 못 하는 자의 혀는 노래하리니"(사 35:6)라는 말씀처럼, 어느새 사슴이 되어 뛰고 있는 나를 발견하게 되었다. 걷지 못하는 나를 사슴처럼 뛰게 하시는 분, 그 하나님이 계시기에 소명의 십자가는 결코 무겁지 않다. ㉛

하나님을 찾아 세상으로부터 숨다

류응렬 / 와싱톤중앙장로교회 담임 목사. 고든콘웰신학교 객원 교수

이탈리아 토스카나의 오래된 수도원에 들어간 일이 있다. 바람 소리와 이따금 들려오는 새소리 외에 아무 소리도 들리지 않는 수도원, 사람의 흔적조차 느낄 수 없는 수도원 뜰을 밟으니 적막을 뚫고 수백 년을 지나 수도사들의 기도 소리가 들리는 듯했다.

구절마다 생각의 촉각을 자극하는 「사막 교부들의 금언집」은 4세기에 꽃핀 수도원의 영성을 보여 주는 보고다. 책을 펴면 사막에 들어가 오직 하나님의 임재에 자신의 삶을 던진 수도사들이 조용히 읊조리는 삶의 지혜가 들려온다.

불편과 고독을 자처한 사람들

'사막 교부들'이란 주로 이집트 북부에서 생활했던 교부들을 가리킨다. '수도사들의 아버지'라 불리는 안토니오스는 251년에 태어나 18세 때쯤 우연히 복음을 듣고 예수님을 따라 살기로 작정했다. 34세에 모든 것을 버리고 사막으로 들어갔고, 356년 105세에 세상을 떠날 때는 많은 이가 그를 따라 사막 은둔자의 삶에 동참한 후였다.

사막 교부들은 수도원에서 독서와 명상을 일삼으면서 일상에서 하나님 앞에 나아가고자 했다. 그들은 자신을 이끌어 준 영적 스승들에게 철저한 순종을 배웠고, 기도 속에서 잡념을 제거하며 오직 하나님께만 주의를 집중했다. 소박한 음식을 먹고 불편한 잠자리에서 잠들면서도 기도를 통해 누리는 하나님과의 교제를 영혼의 더없는 만족과 기쁨으로 여겼다. 그들은 인류를 위해 고통스럽게 피 흘리신 예수 그리스도를 진정한 스승으로 삼았고, 주님이 당하신 십자가 고난을 그들이 따라야 할 교과서로 여겼다. 그들이 사막에서 자처한 생활의 불편과 처절한 고독은 수치와 멸시를 당하신 예수 그리스도께 더 가까이 다가가는 통로였다.

그러나 사막 교부들의 삶이 곧 세상과의 완전한 단절을 의미하는 것은 아니었다. 세상의 온갖 유혹을 벗어 버리고 신 앞에 단독자로 선 한 수도자의 말은 의외다. "유혹을 경험하지 못한 사람은 천국에 들어갈 수 없다. 유혹 없이는 구원받을 사람도 없다." 거룩한 삶을 좇는 것은 유혹의 진공 상태 속에서 살아가는 것을 말하지 않는다. 사막 한복판에서 하늘과 마주하든 21세기 도시

의 거리를 누비든 일상의 유혹의 늪을 건너야 한다. 유능한 뱃사공을 만드는 것은 평온한 바다가 아니라 거센 파도다.

어느 수도자가 교부 모세에게 물었다. "어떻게 하면 사람이 자기 이웃을 위해 죽는 게 됩니까?" 교부가 답했다. "무덤에 있은 지 이미 3년이 되었다는 생각을 마음속 깊이 하지 않는 사람은 그 경지에 도달하지 못할 걸세." 산몸으로 3년을 죽은 것처럼 살 수 있다면, 욕망도 분노도 실망도 미움도 없을 것이다. 존재하는 모든 것 가운데 사랑스럽지 않은 것이 없고, 사랑할 만하지 않은 것도 없으리라. 모두 살려고 아등바등하는 세상에 사막 교부들은 죽으라, 다시 죽으라고 외친다. 그 가르침은 십자가 위에서 피 흘리신 예수 그리스도와 그분의 뒤를 따른 수많은 제자가 몸소 보여 준 것이다.

사막에서 길은 영혼의 샘물

사막으로 들어간 사람마다 소란스러운 세상을 떠나 신과의 독대를 열망하며 깊은 영성의 세계로 몰입했다. 사막은 아무것도 존재하지 않지만 하나님의 임재가 충만한 곳이고, 처절한 고독의 수련장이지만 성령과의 일체감을 누린 지성소였다. 이 사막에서 세례 요한은 하나님을 만나 영성을 키웠고, 이 광야에서 예수님은 40일을 금식하며 하나님만을 의지하는 삶을 배웠다. 모든 것과 단절되었지만 하늘로부터 사다리가 내려오는 곳이 사막이었다.

막막한 사막에서 오랜 세월 하늘과 땅을 마주했던 교부들에 비해 오늘날 우리는 많은 것을 누린다. 그러나 진정한 만족은 채움에서 오는 것이 아니다. 하나님 안에서 오는 진정한 만족이 아니라면 우리는 마음의 방을 무엇으로든 채우러 어디든 달려갈 것이다. 오늘날 시각으로 보면 사막 교부들은 극단적인 금욕주의자라 할 수 있을 것이다. 그러나 세상에 어떤 소망도 두지 않고 오직 하나님만을 향해 숨어들어 간 이들의 모습에서 우리는 진솔한 영성의 삶이 무엇인지 생각하게 된다.

토스카나의 수도원 그 적막한 뜰을 거닐면서 세상의 모든 소리가 사라지는 순간, 하늘에서 선명하게 들려오는 소리가 있었다. 잠시라도 세상을 뒤로하고 하나님만을 그려 보는 눈에 새로운 모습으로 주님이 다가오셨다. 이 주님과 하나 되는 깊은 영성의 샘물을 마시기 위해 우리는 다시 광야로 나아가야 한다. ㉛

> 「사막 교부들의 금언집」(두란노아카데미)은 하나님을 추구하며 자신을 철저히 비운 교부들의 모습을 보며, 무엇이 진정 사람의 영혼을 풍요롭게 채우는지 생각하게 한다.

예수님이 그리하셨던 것처럼

오수황
여의도순복음교회 파송 선교사

고교 시절 기독 동아리 활동을 했다. 믿음의 선배·친구들이 모여서 QT 나눔을 했다. 교내에서 했던지라 마음껏 찬송하고 성경을 읽을 수 있는 교회에서와 달리 위축되기도 했지만, 선교사가 되어 카자흐스탄에 와 있는 지금도 그때의 행복했던 기억이 떠오른다.

내가 카자흐스탄에 처음 파송되었을 때는 선교사들이 경계와 핍박의 대상이 된 시기였다. 구소련 해체 후 처음에는 러시아·우크라이나·우즈베키스탄·카자흐스탄·키르기스스탄 등지에서 서방 국가의 경제 지원과 함께 선교사들을 받아들였으나 얼마 안 가 선교사들을 쫓아내기 시작한 것이다. 다행히 카자흐스탄은 형식상으로나마 종교 비자를 허락해 주는 나라로 남았지만, 사실상 선교 제한 지역이 되었다. 그래서 대부분 선교사가 선교사 비자로는 체류하기가 힘들어졌고, 부득불 현지인 제자들에게 교회를 맡기고 한국으로 철수했다. 나 역시 비자 때문에 사역에 많은 어려움이 있었다. 국가가 발급하는 '종교 활동 허락서'를 발급받지 못해 1년 가까이 설교도 못 하고, 신학교 강의도 하지 못해 애태웠다. 고생 끝에 장기 체류 비자를 받았지만, 여전히 매년 종교 활동 허락서를 받기 위해 복잡한 절차를 밟지 않으면 안 된다.

그러던 중 현지 사역자와 성도들을 데리고 한국에서 열리는 선교 대회에 참가할 기회가 생겼다. 한국 교회 부흥의 현장을 직접 지켜보며 감동한 한 성도가 나에게 이렇게 말했다. "목사님, 감사합니다! 이렇게 살기 좋고 모든 것이 윤택한 한국을 떠나서 카자흐스탄 교회를 섬겨 주시니 감사합니다." 한국에 있는 목회자들도 어려움이 많겠지만, 그 성도에게는 그렇게 느껴졌던 모양이다. 그런데 순간 내 마음에 예수님이 떠올랐다. 하늘 영광 다 버리시고 이 땅에 오신 예수님의 사랑이 느껴져 나도 모르게 코끝이 찡했다. "저같이 부족한 사람이 영광스러운 하나님 나라 사역에 동참할 수 있게 해 주시니 감사합니다."라는 고백이 터져 나왔다. 학창 시절 교정에서 QT하며 헌신을 다짐했던 어린 영혼을 하나님이 신실하게 사용해 주신 것처럼, 현지인 사역자들을 하나님 나라의 큰 일꾼으로 세워 주실 그날을 꿈꾸며 기대한다. 🜚

| 나라 정보 |

카자흐스탄은 중앙아시아와 동유럽에 걸쳐 있으며, 중앙아시아 일대에서 가장 넓고 전 세계에서 9번째로 큰 나라다. 1890년대 제정 러시아의 이민 정책으로 러시아와 갈등을 겪었고, 1936년 '카자흐 소비에트 사회주의 공화국'으로 소련에 편입되었다. 1991년 12월 소련으로부터 독립한 후 1992년 3월 독립국가연합에 가입했다. 광활한 곡창 지대를 갖고 있으며, 석탄·석유 등 에너지 자원과 광물 자원이 풍부하다. 화학 공업과 기계 장치 제조업도 발달했다. 카자흐어가 국어지만 러시아어가 민족 간 소통 언어로 통용되고 있다.

| 기도 정보 |

다민족 국가인 만큼 다양한 종교가 있으나 국민의 다수를 차지하는 카자흐인 대부분이 이슬람교를 믿는다. 2009년 실시된 조사에서 카자흐스탄 인구의 약 70%가 자신은 이슬람교를 믿는다고 응답했으며, 실제로 어릴 때부터 자신은 이슬람교도라고 생각하는 사람이 많다. 나머지 대부분은 동방 정교회에 속해 있으나 예수님을 알지 못하는 사람이 많다. 인구 100만의 도시인 침켄트의 경우에도 도시 전체를 통틀어 교회 출석 인원이 1,000명도 되지 않는다. 복음화율이 약 0.1% 수준인 침켄트에 부흥이 일어나고, 그 불꽃이 카자흐스탄과 중앙아시아 전체로 퍼지기를 기도하자.

| 오수황 선교사 기도 제목 |

1. 침켄트순복음교회에 하나님 말씀의 권능이 충만해 모든 것을 넉넉히 이기는 교회가 되도록
2. 30개 이상 현지인 제자 교회가 세워지고(현재 20개), 자립한 10개의 제자 교회가 부흥하도록
3. 영산신학교 사역을 통해 헌신된 현지인 사역자들이 세워져 침켄트 도시 복음화를 위해 쓰임받도록
4. 모든 성도와 가족(아내 이수연, 자녀 하민·하준)의 영육이 강건하도록

01 축복과 저주가 선포되다

하나님 찬양하기
- 주님 약속하신 말씀 위에 서 (새 546 통 399, B♭→A)
- 나의 가장 낮은 마음 (경배와 찬양, A)

Focus | 말씀에 순종하는 자는 복을 받지만, 불순종하는 자에게는 저주가 임합니다.

마음 열기 한 주간의 삶과 QT, 감사 제목 등을 간단히 나누며 마음 문을 여세요.

말씀 열기 **본문 읽기** 신명기 27:11~26을 함께 읽습니다.

배경 이해하기

이스라엘 백성은 가나안 땅에 들어간 후 에발산에 큰 돌들을 세워 율법을 기록하고 다듬지 않은 돌로 제단을 쌓아 하나님께 번제와 화목제를 드려야 합니다. 이때 여섯 지파는 그리심산에 서고, 나머지 여섯 지파는 에발산에 섭니다. 레위 사람이 열두 가지 저주를 낭독해 읽으면 모든 백성은 '아멘'으로 화답합니다. 이러한 시청각 교육은 백성이 효과적으로 율법을 기억하도록 했을 것입니다. 여호수아서에서는 축복과 저주의 율법이 함께 선포되는데(수 8:30~35), 신명기에서는 저주만 선포됩니다. 이는 이스라엘 역사에서 불순종으로 저주받는 일이 더 많을 것임을 예상하게 합니다.

1. 말씀 나누기

관찰과 묵상 모세는 이스라엘 백성에게 요단을 건넌 후 무엇을 하라고 명령했나요?(11~13절)

적용과 나눔 나는 성경의 축복 메시지와 저주(심판) 메시지 중 어느 쪽에 더 귀 기울이나요? 두 메시지를 고루 들어야 하는 이유는 무엇일까요?

2 ● **관찰과 묵상** 레위 사람이 열두 가지 죄와 그에 따른 저주를 선포할 때 이스라엘 백성은 어떻게 응답해야 했나요?(14~26절)

 적용과 나눔 성경이 말하는 저주와 일반적인 저주는 어떻게 다를까요? 나는 살면서 순종과 불순종 중 어느 쪽을 더 많이 선택하나요?

말씀 다지기 에발산에서 열두 가지 죄와 저주를 선포하게 하신 이유는 이스라엘이 하나님과의 언약을 깨뜨려 심판에 이르지 않도록 주의를 주시기 위함입니다. 축복과 징계의 기준은 하나님 말씀에 대한 순종 여부입니다. 축복의 말씀만 따르는 것은 어린아이 신앙입니다. 하나님이 싫어하시는 일을 하지 않는 것이 성숙한 신앙입니다. 타락한 인간에게는 죄로 향하는 본성이 있기에, 마음 불편하게 하는 저주의 말씀까지 마음에 새기고 항상 '아멘'으로 순종하는 것이 죄를 멀리하는 지혜입니다. 우리가 하나님의 모든 명령과 규례를 지켜 행할 이유는 다름 아닌 우리 행복을 위해서입니다(10:13).

말씀으로 기도하기 하나님의 모든 말씀에 '아멘'으로 응답하고 순종하게 하소서. 제 귀에 듣기 좋은 말씀만 아니라 마음 불편하게 하는 말씀까지 겸손히 받고 순종해, 하나님 뜻을 온전히 이루는 하나님 자녀 되게 하소서.

함께 기도하기 1. 지금 우리가 이 땅에서 누리는 평화 이면에는 순국선열의 희생이 있었음을 기억하고 감사하며, 이기심을 버리고 나라 사랑을 실천하는 국민이 되도록 기도합시다.

2. 전 세계적 기상 이변으로 재난 피해가 속출하고 있습니다. 각 국가가 책임 있게 환경 정책을 실천하고, 그리스도인들이 환경 보존에 적극 참여하도록 기도합시다.

** 찬양, 헌금, 헌금 기도 및 '주님이 가르쳐 주신 기도'로 모임을 마칩니다.

| **마음에 새기기** | "이 율법의 말씀을 실행하지 아니하는 자는 저주를 받을 것이라 할 것이요 모든 백성은 아멘 할지니라" 신 27:26 |

02   마음을 완악하게 하지 말라

하나님 찬양하기
- 예수 더 알기 원하네 (새 453 통 506, A♭→G)
- 정결한 맘 주시옵소서 (경배와 찬양, G)

Focus ㅣ 저주의 말씀을 듣고도 마음을 완악하게 하면 하나님의 진노가 임합니다.

마음 열기   한 주간의 삶과 QT, 감사 제목 등을 간단히 나누며 마음 문을 여세요.

말씀 열기   **본문 읽기** 신명기 29:10~21을 함께 읽습니다.

배경 이해하기

하나님은 가나안 입성을 앞둔 출애굽 2세대와 다시 언약을 맺으십니다. 언약 갱신을 위해 모압 평지에 선 백성은 출애굽 당시 20세 미만이었거나 아예 광야에서 태어났기에, 모세는 출애굽 사건과 40년 광야 생활에 대해 먼저 언급합니다(29:2~8). 하나님은 친히 그들의 하나님이 되시고, 그들의 보호자와 통치자가 되어 주시기 위해 언약을 맺으십니다. 이에 이스라엘은 순종을 다짐합니다. 주의할 것은 언약과 순종의 순서입니다. 순종했기 때문에 하나님 백성 되는 언약이 주어진 것이 아니라, 언약이 먼저 주어졌기 때문에 그에 대한 감사로 순종하는 것입니다.

1. 말씀 나누기

관찰과 묵상   하나님 언약에 참여해 그분의 언약을 지켜야 하는 대상은 누구인가요?(10~15절)

 적용과 나눔   말씀을 전할 때 내 안의 편견이 방해가 된 적이 있나요? 거리낌 없이 언약의 말씀을 나누기 위해 나의 어떤 점을 개선해야 할까요?

2 • **관찰과 묵상** 하나님이 경고로 주신 저주의 말씀을 듣고도 마음이 완악해 우상을 따르면 어떻게 되나요?(18~21절)

 적용과 나눔 완악한 마음은 어떤 결과를 가져올까요? 하나님 말씀을 듣는 마음은 어떠해야 할까요?

말씀 다지기

하나님이 모압 평지에서 이스라엘과 맺으신 언약은 한 세대 혹은 한 민족에게 국한되는 것이 아닙니다. 시대와 민족을 초월해 부르심을 받은 모든 성도에게 적용되는 언약입니다. 언약을 주신 이유는 하나님을 예배하고 그분 백성다운 삶을 살며 그분이 주시는 모든 복을 누리도록 하기 위함입니다. 헛된 우상을 하나님 자리에 두면 마음에 완악하고 나쁜 열매가 맺힙니다. 완악한 마음은 말씀을 거부하기에 위로부터 오는 모든 좋은 복을 가로막습니다. 완악함을 버리고 생명의 말씀이 심기는 옥토 같은 마음이 되는 비결은 구원의 은혜를 기억하고 날마다 자기를 부인하는 것입니다.

말씀으로 기도하기 저를 하나님 백성 삼아 주시고 그 모든 복을 누리게 하시니 감사합니다. 날마다 자기를 부인하고 마음과 뜻과 힘을 다해 하나님만 사랑하게 하소서. 사랑으로 제게 주신 생명의 말씀을 굳게 지키게 하소서.

함께 기도하기

1. 경제 성장과 소득 분배가 조화롭게 이루어져, 경제 주체(가계, 기업, 정부) 모두 공정한 경제 활동의 수혜를 누리는 건강한 나라가 되도록 기도합시다.

2. 반(反)난민 시위, 인종 차별 등 증오 범죄가 전 세계에서 끊이지 않고 벌어집니다. 갈등과 혐오가 그리스도 안에서 지워지고 긍휼과 사랑이 커지도록 기도합시다.

** 찬양, 헌금, 헌금 기도 및 '주님이 가르쳐 주신 기도'로 모임을 마칩니다.

| 마음에 새기기 | "이 저주의 말을 듣고도 심중에 스스로 복을 빌어 이르기를 내가 내 마음이 완악하여 젖은 것과 마른 것이 멸망할지라도 내게는 평안이 있으리라 할까 함이라" 신 29:19 |

03 기억해야 할 노래

하나님 찬양하기	• 달고 오묘한 그 말씀 (새 200 통 235, F→G)
	• 내 백성이 나를 떠나 돌아섰지만 (경배와 찬양, F→G)

Focus | 하나님은 우리의 죄와 허물을 다 아시면서도 한결같은 사랑으로 우리를 빚어 가십니다.

<u>마음 열기</u> 한 주간의 삶과 QT, 감사 제목 등을 간단히 나누며 마음 문을 여세요.

<u>말씀 열기</u> **본문 읽기** 신명기 31:19~29을 함께 읽습니다.

배경 이해하기

모세는 모압 평지에서 출애굽 2세대에게 3회에 걸쳐 율법의 말씀을 전했습니다. 모세는 자신의 죽음이 임박함을 알고 마지막으로 사역을 정리합니다. 여호수아를 후계자로 세우고, 율법의 말씀을 기록해 언약궤 곁에 두게 합니다. 그리고 매 면제년 초막절에 모든 백성 앞에서 율법을 낭독해 지켜 행하게 하라고 당부합니다. 하지만 그의 권면과 당부에도 이스라엘 백성은 장차 가나안에 들어간 후 하나님을 배반할 것이고, 그 결과 재앙을 받을 것입니다. 이스라엘 백성의 실패를 예견하신 하나님은 모세에게 노래를 기록하고 그들에게 가르쳐 그 노래가 증거가 되게 하라고 명하십니다.

1. 말씀 나누기

관찰과 묵상 하나님은 어떤 이유로 모세에게 '이 노래'를 써서 이스라엘 자손에게 가르쳐 부르게 하라고 명하시나요?(19~21절)

 적용과 나눔 하나님의 은혜와 사랑에서 떠났다가 돌이키는 계기가 된 말씀이나 찬양, 혹은 체험이 있다면 나누어 보세요.

2. **관찰과 묵상** 모세가 율법의 말씀을 책에 다 기록한 후 언약궤를 메는 레위 사람에게 무엇이라 명령했나요?(24~29절)

 적용과 나눔 말씀을 가르치지 않으면 다음 세대의 미래는 어떠할까요? 다음 세대를 위해 하나님이 내게 맡기신 책임은 무엇일까요?

말씀 다지기

하나님은 미래 이스라엘이 배반하고 반역할 것을 아셨습니다. 그럼에도 자기 백성을 향한 하나님의 사랑은 한결같으셔서 구원 언약을 온전히 성취하십니다. 하나님은 모세가 죽은 후 율법의 교훈을 상기할 수 있도록 노래를 지어 백성에게 가르치게 하십니다. 곡조 있는 노래로 배운 내용은 쉽게 잊히지 않습니다. 하나님 말씀을 마음과 입에 가까이 두지 않으면 타락한 인간 본성은 죄의 길로 행하기 쉽습니다. 모세가 율법을 노래로 가르쳐 믿음을 전수했듯, 성도는 부지런히 말씀을 가르쳐 믿음의 유산을 다음 세대에게 물려줄 의무과 책임을 잘 감당해야 합니다.

말씀으로 기도하기 제 허물과 죄를 아시고도 한결같은 사랑으로 이끄시는 주님께 감사드립니다. 넘어질 때마다 약속의 말씀을 붙들고 속히 일어나며, 저를 회복시킨 그 말씀을 다음 세대에 전하는 일을 잘 감당하게 하소서.

함께 기도하기

1. 운전자는 졸음운전과 음주 운전, 신호 위반, 과속 등을 하지 않고, 보행자는 교통 법규를 잘 지켜 안전한 교통 문화가 정착되도록 기도합시다.

2. 대부분이 힌두교도인 인도 카나라족은 수많은 신을 숭배하고 환생을 믿습니다. 이들에게 속히 구원의 복음이 전해지도록 기도합시다.

** 찬양, 헌금, 헌금 기도 및 '주님이 가르쳐 주신 기도'로 모임을 마칩니다.

마음에 새기기	"이 율법책을 가져다가 너희 하나님 여호와의 언약궤 곁에 두어 너희에게 증거가 되게 하라" 신 31:26

04 여호와를 경외하는 자의 복

하나님 찬양하기
- 예수 따라가며 (새 449 통 377, F)
- 주님만 주님만 주님만 사랑하리 (경배와 찬양, F)

Focus | 하나님을 경외하고 그분 말씀에 순종하는 사람은 복되고 형통합니다.

마음 열기   한 주간의 삶과 QT, 감사 제목 등을 간단히 나누며 마음 문을 여세요.
말씀 열기   **본문 읽기** 시편 128:1~6을 함께 읽습니다.

배경 이해하기

시편 128편의 저자는 알려지지 않았고, 역사적 배경은 바벨론 포로 귀환 시대로 봅니다. '성전에 올라가는 노래'라는 표제가 붙은 이 시편은 절기 때 하나님을 예배하러 성전에 오르는 순례자들을 위해 기록되었을 것입니다. 이 시편에는 '복'이란 단어가 여러 번 반복되며, 어떤 사람이 복을 얻고 복된 삶을 사는지 명확히 알려 줍니다(1, 4절). 이어서 시편 기자는 개인과 가정에 임하는 복을 넘어 하나님이 시온에서 내려 주시는 복을 언급합니다. 하나님이 그분을 예배하는 시온에서 복 주신다는 약속은 성전에 오르는 모든 순례자에게 큰 위로와 소망이 되었을 것입니다.

1.

말씀 나누기
관찰과 묵상 시편 기자는 어떤 사람이 복을 누린다고 하나요? 그가 누리는 복은 구체적으로 어떤 것인가요?(1~4절)

 적용과 나눔 일상에서 하나님을 경외하는 마음을 어떻게 표현하나요? 하나님을 경외함으로 맺은 은혜의 결실이 있다면 나누어 보세요.

2. **관찰과 묵상** 시편 기자는 하나님이 시온에서 복 주시길 기원합니다. 그 복의 결과는 어떠한가요?(5~6절)

 적용과 나눔 하나님을 경외하는 한 사람을 통해 공동체가 은혜를 받은 경험이 있다면 나누어 보세요.

말씀 다지기

하나님을 경외함은 하나님이 미워하시는 죄를 멀리하고 그분 말씀에 순종하는 것입니다. 하나님을 경외하는 길은 좁은 길입니다. 그러나 그 길을 걸을 때 복된 삶이 시작됩니다. 땀 흘려 수고한 대로 정당한 대가를 누리며, 가정이 화목하고 번성합니다. 또 하나님을 경외하는 자의 복은 그가 속한 공동체에까지 확대됩니다. 한 사람의 미래는 그가 속한 공동체의 미래와 연결되어 있습니다. 교회에 임하는 은총과 나라의 평안은 하나님을 경외하는 성도 한 사람으로부터 비롯됩니다. 성도는 만복의 근원 되신 하나님을 기억하며 그분을 향한 예배의 자리로 진실하게 나아가야 합니다.

말씀으로 기도하기 하나님을 경외함으로 세상과 타협하지 않고 온전히 말씀의 길을 걸어가게 하소서. 복의 근원 되신 하나님을 마음 다해 예배하게 하시고, 가정과 일터와 교회 공동체가 하나님의 복을 풍성히 누리게 하소서.

함께 기도하기

1. 동독과 서독의 장벽을 허무는 데 원동력이 된 라이프치히 니콜라이교회의 기도 모임처럼, 복음적 통일을 위한 기도의 물결이 한반도에 흘러넘치도록 간구합시다.

2. 카자흐스탄에서 선교사가 비자 받는 일이 점점 어려워지고 있습니다. 비자로 인해 선교 활동에 어려움이 없도록 기도합시다(179쪽 '땅끝에서 온 편지' 참조).

** 찬양, 헌금, 헌금 기도 및 '주님이 가르쳐 주신 기도'로 모임을 마칩니다.

마음에 새기기	"여호와를 경외하며 그의 길을 걷는 자마다 복이 있도다 네가 네 손이 수고한 대로 먹을 것이라 네가 복되고 형통하리로다" 시 128:1~2

천만 크리스천의 일용할 양식

생명의 삶 ™

June 2020 **06**
NO.164

개역개정판 · 새찬송가

발행 및 편집인 | 이형기
편집장 | 장덕은
편집 | 김정원, 신재범, 조준만, 박경순
디자인 | 김유리, 이재연
포토그래퍼 | 정화영, 한치문

등록한날 | 2006년 10월 13일
등록번호 | 용산 라 00073
발행한곳 | 사) 두란노서원
　　　　서울특별시 용산구 서빙고로 65길 38 두란노빌딩
발행일 | 사후 2020년 6월 1일 발행
미주판 인쇄처 | 영진문원, 한국

©2020 사)두란노서원

「생명의 삶」은 도서잡지 윤리실천 강령을 준수합니다.
본서에 실린 글, 사진, 그림 동의 무단 전재와 무단 복제를 금합니다.
성경전서 개역개정판의 저작권은 재단법인 대한성서공회 소유로서
허락을 받고 사용했습니다. 영어 성경 NIV는 International Bible
Society의 허락을 받고 사용했습니다.

Scripture quotations taken from The Holy Bible, New International
Version® NIV® Copyright © 1973, 1978, 1984, 2011 by Biblica,
Inc.® Used by permission of Biblica, Inc.® All rights reserved
worldwide. The "NIV" and "New International Version" are
trademarks registered in the United States Patent and Trademark
Office by Biblica, Inc.®

미주 두란노서원

본부장 | 박태성

주소 | 3130 Wilshire Blvd #100
　　　Los Angeles CA 90010
대표전화 | 213 382 5400
이메일 | info@duranno.us
홈페이지 | duranno.us

서울 두란노서원(본사)
서울특별시 용산구 서빙고로 65길 38 두란노빌딩
Tel. 02 2078 3421 Fax. 02 796 0906
이메일 qtlife@duranno.com
홈페이지 www.duranno.com/qt

라틴 두란노서원
Calle 101A No. 47A-17 Bogota, Colombia
Tel. 57 1 742 6738

오사카 두란노서원
〒 541 - 0048 大阪市中央区瓦町 4丁目3番9 - 201号
Tel. 81 06 6170 6802　Fax. 81 06 6170 6803

대만 두란노서원
2F., No.2, Ln. 107, Xikou St., Wenshan Dist.,
Taipei City 116, Taiwan(R.O.C.)
Tel. 886 2 2391 9066　Fax. 886 2 2391 9010

Living Life(ISSN 1975-7400) is published
monthly by Duranno International Ministry.
3130 Wilshire Blvd. #100
Los Angeles, CA 90010
Tel. 213 382 5400

두란노

신구약 성경 전체를 묵상할 수 있도록 편집된 「생명의 삶」은
다음 달에는 시편 136~150편, 로마서 1~4장을 본문으로 합니다.
본문에 실린 영어 성경은 NIV(New International Version)입니다.

정기구독 안내

신규 정기구독 신청은

duranno.us에서 홈페이지 이용시

1개월 연장해 드립니다(code LK, LW, E, BE, CE, G only).

미주지역 〈생명의삶〉 정기구독 신청은
미주두란노서원에서만 하실 수 있습니다.

● 주소 변경은 두란노에 **꼭!** 알려 주시기 바랍니다.

● 미주를 제외한 해외 정기구독은 운송비 관계로
　직접 문의 바랍니다.

● 주소 변경 등 기타 문의 사항은 ybkim@duranno.us
　또는 전화 213 382 5400을 이용해 주십시오.

미주지역 정기구독료 (US $) 안내

Code	잡 지 명	정기구독료(US $)		
		Domestic	AK / HI	Canada
A	예수님이랑 나랑	72	84	문 의
B	예수님이 좋아요(저학년)	60	72	문 의
BE	I LOVE JESUS(LOWER)	66	84	144
C	예수님이 좋아요(고학년)	60	72	문 의
CE	I LOVE JESUS(UPPER)	66	84	144
D	새벽나라(한)	80	80	156
G	새벽나라(English)	66	84	144
E	Living Life(English)	66	84	144
H	Living Life(Chinese)	80	80	156
J	Living Life(Japanese)	80	80	156
I	Living Life(Spanish)	66	84	144
LK	생명의삶(개역개정판)	66	84	144
LW	생명의삶(우리말성경)	66	84	144
KB	큰글자(생삶) 개역개정	84	96	156
WB	큰글자(생삶) 우리말	84	96	156
O	생명의 삶 Plus	240	288	문 의
QK	개역개정+생삶 Plus	270	318	문 의
OJ	Japanese Plus	240	288	문 의
P	목회와 신학	264	312	문 의
MK	목회자료집(개역개정)	432	456	문 의
S	빛과소금	72	84	문 의
TK	빛과소금+개역개정	96	132	문 의

월간지 검색 및 구독 신청 duranno.us

"선물하세요"

큐티에서 설교까지

생명의 삶+PLUS

생명의 삶 활용서 **생명의 삶+PLUS** 의 본문은

한국 교회 최고의 QT지 **생명의 삶** 과 같이합니다.

생명의 삶+Plus의 구성

● 비교할 수 있는 성경 본문
개역개정, 우리말성경, NASB 세 가지 본문을 비교하면서 깊이 있게 묵상할 수 있습니다.

● 원어 묵상
원어의 단어나 문맥을 자세한 해설을 통해 말씀 해석과 적용에 도움을 얻을 수 있습니다.

● 본문 주해
신구약 전공 교수들의 탁월한 해석과 주해로, 본문을 이해하고 해석하는 지침을 제공해 줍니다.

● 메시지 탐구
본문을 묵상하고 메시지를 끄집어내는 과정으로, 성경 본문을 설교로 연결하는 단계입니다.

● 설교 길잡이
메시지 탐구에서 끄집어낸 메시지를 기초로 구성한 간략한 설교의 기본 원고입니다.

● 묵상과 적용
설교에 활용할 수 있는 묵상 글이나 예화가 소개됩니다.

자르는 선

미주CGNTV 스마트폰 앱(App)

다시보기 facebook 후원 편성표
생방송보기 LIVE 공지사항

미주CGNTV
You Tube 생방송 보기

CGNTV America (Korean)
실시간 스트리밍(LIVE NOW)

▶ YouTube 실시간 스트리밍 방송

YouTube에서 CGNTV America 를 검색

실시간 스트리밍 (LIVE NOW) 시청

●주의 : 데이터 사용시 요금이 발생할 수 있
가급적 Wi-Fi가 접속된 상태에서
다운로드하시고 시청하시기 바랍니다.

미주 지역 CGNTV 시청 안내

▶ **YouTube 실시간 스트리밍**
YouTube에서 CGNTV America를 검색, 실시간 스트리밍(LIVE NOW) 시청

▶ **미주CGNTV 홈페이지**
http://cgnfoundation.com에 접속, 메인 화면에서 미주CGNTV 라이브 방송 시청

▶ **미주CGNTV 앱(App)**
안드로이드폰은 Play Store에서 아이폰은 App Store 에서 미주CGNTV를 검색
다운로드, 설치 후 라이브 방송 시청

(주의 : 스마트폰, 인터넷 데이터 사용시 요금이 발생할 수 있으니 Wi-Fi가 접속된 상태에서 시청하시기 바랍니다)

▶ **Hispasat – 1E 위성 안테나**
미동부, 중남미 지역 위성 Hispasat-1E 위성 안테나 설치 후 무료 시청

자르는 선

CGNTV 후원약정서　　●모든 정보는 영어로 기입해주십시오

☐ 매월 $10　☐ 매월 $30　☐ 매월 $50　☐ 기타 (매월 $　　　)　☐ 일시불 ($　　　)

Name		|한글|
Address		
Phone	E-mail	@
출석교회		|직분|

☐ **Check or Money Order (Payable to CGN Foundation)**
☐ **Debit or Credit Card**　☐ VISA　☐ AMERICAN EXPRESS
　　　　　　　　　　　　　☐ MASTER

●Signature란에 싸인 해 주셔야
카드 결제를 할 수 있습니다.

Signature

Card No.　　　　　　　　　Exp. Date
Name on Card

우편 보내실 곳 : **CGN Foundation** 3130 Wilshire Blvd., ste 101, Los Angeles, CA 90010
문의 : Toll Free. 855) 314.9100　Tel. 213) 389.1981　Fax. 213) 389.1943　**cgnfoundation@Gmail.com**

QT로 여는
하나님 나라

하나님 말씀이 펼쳐지는 그 순간 의 씨앗이 뿌려집니다.

말씀을 여는 그 순간, 삶 속에 열리는 하나님 나라를 경험해 보세요.

천만 크리스천의 일용할 양식

생명의 삶

정확한 본문 해설, 감동있는 예화, 나눔이 있는 소그룹 등 유익한 컨텐츠로 개인과 교회의 영적 성장을 책임집니다.

개역개정판. 우리말성경.
큰글자 개역개정판. 큰글자 우리말성경

설교자와 큐티 리더를 위한 지침서

생명의 삶 +PLUS

성경 각 권별로 전체적인 윤곽을 잡을 수 있습니다. 본문연구, 적용. 활동 자료가 포함되어 있어서 소그룹 성경공부에 활용할 수 있습니다.

청소년을 위한 큐티+매거진

sena

청소년들의 감각에 맞는 혁신적인 디자인과 영성있는 컨텐츠로 큐티하는 재미를 느낄 수 있습니다.

한글판. 영문판

유초등부 영어 큐티

I ♥ Jesus

쉽고 재미있는 구성으로 어려서부터 영어로 큐티하는 습관을 길러줍니다.

UPPER, LOWER

당신을 위한

팀 켈러의
90일 성경공부

팀 켈러와 함께하는 90일 성경 탐험

개인과 소그룹 공동체, 말씀으로 걷다

90DAYS IN GALATIANS,
JUDGES & ROMANS
: 갈라디아서, 사사기, 로마서

90DAYS IN GALATIANS,
JUDGES & ROMANS

당신을 위한
**팀 켈러의
90일 성경공부**
팀 켈러 지음

갈라디아서, 사사기, 로마서
TIMOTHY KELLER

팀 켈러 지음 | 김주성 옮긴 | 320쪽

TIMOTHY KELLER

duranno.us

40th
두란노 창립 40주년
1980 · 2020

당신의 따뜻한 품을 기다립니다

네팔에서 만난 소녀 뿌자.

숨막히는 더위 속에서 뗄감을 구해 버는 돈은
고작 50센트.

두 동생의 주린 배를 채우기 위해
쉴틈없는 여린 두손은
거친나무에 찔리고 긁혀 성한 곳이 없습니다.

'엄마'라고 부르라는 말이 끝나기가 무섭게
내 가슴에 얼굴을 묻고 한참을 목놓아 울던 아이…

이 아이가 내일을 꿈꿀 수 있게
가슴으로 사랑을 나누는 '엄마'가 되었습니다

877-499-9898
www.goodneighbors.us

홍보대사 변

굿네이버스는 1991년 한국에서 설립되어 전세계에서 굶주림 없는 세상, 더불어 사는 세상을 만들기 위해 전문적인 국제개발협력사업을
활발히 수행하고 있으며, UN경제사회이사회로 부터 최상위 지위인 포괄적 협의지위를 부여받은 국제구호개발 NGO입니다

지금도 수많은 아이들이 **당신의 따뜻한 품**을 기다리고 있습니다.

해외아동 1:1 결연하기   후원아동수 _____ 명 (한 아동 결연 매월 $35)

보내실곳: Good Neighbors USA P.O. BOX 6086 Orange, CA 92863

👤 후원 신청자 정보

Name

Address

City   State   Zip

Email

Phone

💰 후원방법

☐ Credit Card   ☐ Check

Name on Card

Credit Card No.

Expiration Date   CVC#

Signature

📷 **쉽고 빠르게 후원신청하는 방법!**
작성하신 후원신청서는 사진을 찍어 **657-256-7329**로 보내주세요!

Good Neighbors

JUNE 2020